Soccer Defender
サッカー
ディフェンダー
上達のコツ50
新装版
監修
元日本代表
中西永輔
鉄壁の技術と戦術を極める

JN127619

メイツ出版

積極的にディフェンスの
アクションを起こせば
自分の思い通りになる！

※本書は2019年発行の『サッカー ディフェンダー 上達のコツ50 新版』を元に内容の確認を行い、書名・装丁を変更して新たに発行したものです。

ディフェンダーには３つの大切な要素があります。

１つは、守っているときどこが危ないのかを常に考え起こりうるプレーを予測することです。相手がどんなプレーをしてくるのか事前に察知して、その応対をいつでもできる状態にしておく必要があります。

次に、対戦する相手がどんなプレーをするのか、その特徴をいち早くつかんで、その選手の動きに対応することです。相手はスピードがある選手なのか、ドリブルが上手い選手なのか、サイドからカットインするプレーを得意としているのか……。相手のプレースタイルをできるだけ早く知ることは、試合の主導権を握れるかどうかにも関わってきます。

最後に、絶対に諦めない心を持つことです。たとえば１対１で、相手をすべて完璧に止めることなんてできません。突破されることもあるでしょう。そこで抜かれて諦めてしまわないことが大切なのです。一度抜かれても諦めずに追うことで相手にプレッシャーを与え続けることができ、そのプレーが相手のミスを誘います。

この３つを意識しながらプレーすることで必ず上達しますし、守ることの楽しみも味わえるはずです。ディフェンスの能力が上達すればするほど、ポジショニングの巧みさで相手にパスを出させないレベルまで到達できます。

いつも受け身ではなく積極的にディフェンスのアクションを起こせば自分の思い通りになり、やりがいもでてきます。相手に勝つ喜び、相手からボールを奪う喜びを知れば、もっとサッカーが楽しくなり上手くなること間違いなしです。

中西永輔

■本書の使い方

本書はサッカーのディフェンダーの技術や戦術の向上を目指す方に向けて解説しています。ディフェンダーとして身につけるべきテクニックのコツを50掲載。各見開き完結となっておりますので、習得したい項目を選んで読むことができます。

各テクニックはそれぞれ2～3のPOINTで構成されています。うまくできないときのアドバイスやチェックポイントもありますので、何ができて何ができていないかを確認して技術の習得に役立ててください。

コツNo.
50項目のテクニックを掲載しています

タイトル
タイトルは具体的なやり方やポイントを解説しています

コツ 05 PART1 ディフェンダー技術のコツ ■ ボールが入ったと

背後からプレッシャーを与えて振り向かせない

POINT
❶手を当てて触れられる距離を保つ
❷密着するとターンされやすい
❸手と足で追い込みをかける

POINT
テクニックのポイントを各2～3つ紹介しています。ここを押さえておくだけでもOKです

プレーの優先順位を切り替える

FWにクサビのパスが入ってしまったときは、無理に足を出しに行かないほうが賢明だ。身体をピッタリと密着させた状態にしている選手もいるが、ターンされたときに入れ替わられてしまう危険性があるからだ。

ボールが入ってしまった
先順位を「ボールを奪いに
単に振り向かせない」に切
側からプレッシャーをかけ
の選手と連動しながら挟み
奪いに行こう。

22

本文
紹介しているテクニックの概要です。技術習得のためのポイントを整理します

POINT 1 手を当てて触れられる距離を保つ

ＦＷにボールが入ったときは、手を伸ばして相手の身体に触れられる距離を保ちながら、半身の体勢でアプローチする。相手が振り向こうとしたところで、素早くボールをつついて奪う。

POINT 2 密着するとターンされやすい

ＦＷにピッタリと身体をくっつけてしまうと、ボールが見えづらいので駆け引きで不利になる。このように足を揃えた状態で立っていると、ターンされたときの動き出しに遅れが生じる。

POINT 3 手と足で追い込みをかける

ターンしようとしてきたときは、どちらかのサイドに追い込むのがセオリー。この際、ファウルにならない程度に手や足を使って相手の動きを制限し、自分の行かせたい方向へ誘導しよう。

できないときはココ

ボールが入ってしまったときは一旦距離を取って、相手ＦＷがどんなプレーを狙っているか見極める。

チェックしよう!

□適度な距離を保っているか
□くっつき過ぎていないか
□どちらかに追い込めているか

23

できないときはココ
紹介しているテクニックが上手くできないときのアドバイスです

チェックしよう
紹介しているテクニックの中で、できたこと、できなかったことをチェックして次のテクニック習得へ結びつけましょう

ディフェンダーのタイプと特徴

ディフェンダーのポジションは、主にセンターバック（CB）とサイドバック（SB）の2つに分けられる。CB、SB各々にも役割があり、戦術やシステムによって変わる。それぞれどんな役割や能力があるかを紹介しよう。

センターバック

センターバックはディフェンスラインのセンターにポジションを取る。主な役割は、チームを統率してディフェンス組織を作り相手の攻撃からゴールを守る。強さ、高さなどの守備能力はもちろん、攻撃を組み立てるビルドアップ能力がないといけない。

このポジションは受け身な場面が多いので、すぐにイライラしてしまうタイプは難しい。長時間守り続けても耐えられる忍耐力と集中力を持続できるメンタリティは必須だ。

センターバックで特定の相手をマークせず、カバー役を務めるディフェンダーのことをいう。ストッパーと縦関係で並ぶことが多い。現代サッカーではスイーパータイプは少なくなってきている。

ST ストッパー

センターバックで相手フォワードをマークし、相手選手に仕事をさせないのが役割。スイーパーと縦関係を組み、ストッパーが相手に当たり、スイーパーがカバーする関係で守備を考える。

センターバックでスイーパーの役割に攻撃参加が加わったのがリベロ。イタリア語で自由を意味する。ディフェンスラインの中心的な存在でチャンスがあれば果敢に得点を狙いにいく。

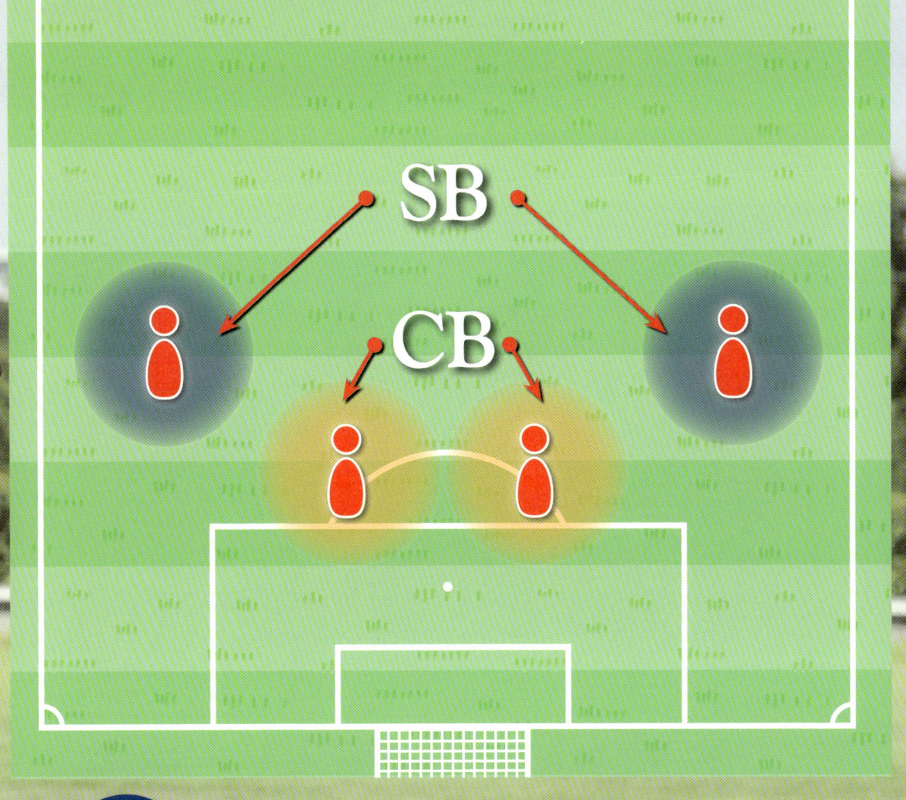

SB

サイドバック

サイドバックはディフェンスラインのサイドにポジションを取る。主な役割は、相手の両サイドに位置する選手の対応や攻撃時のオーバーラップだ。休みなく上下に動くことが求められるので走力、スタミナの面ではとくに必要。近年ではサイドバックを起点に攻撃を組み立てる戦術も多く、パスや判断力の向上は必須と言える。そして、サイドでの攻防で負けられないので1対1の強さは不可欠だ。

4バックではなく、3バックのときに用いられる。基本的なプレーは4バック時のサイドバックと同じだが、スタートポジションが高くより攻撃をベースに考えてプレーすることが多くなる。

守備の原則と優先順位

守備をする際、ボールを持っている相手選手にむやみに向かって奪えるほど簡単ではない。ディフェンス方法を間違えると大きなミスにつながる。守備には優先すべき順位がある。ここでは、ディフェンスの原則とマークの優先順位を紹介しよう。

ディフェンスの原則

1 シュートを打たせない

ディフェンスでもっとも大切なことは、得点を奪われないようゴールを守ることだ。それにはシュートを打たせないようにプレーすることが必要になる。相手選手がボールを持ったときにシュートコースが空いてしまうようなポジション取りにならないよう注意しながら守るようにしよう。

2 アプローチをかける

シュートを打たせないポジションを取ったら、ボールを持っている相手選手が自由にプレーできないようプレッシャーをかける必要がある。その相手にチェックにいくことをアプローチをかけると言う。サッカーはゴール付近を守っていればよいのではなく、積極的に相手に仕掛けるディフェンスが重要になる。

3 ボールを奪う

相手選手にアプローチをかけてプレッシャーを与えることができた。このとき、ボールを奪える状況なら果敢に挑んでほしい。ただし、まわりの状況をしっかり見てボール奪取に向かっても大丈夫だと判断をした場合のみ。距離を詰めすぎたために抜かれてしまったり、シュートを打たれてしまうと元も子もない。必ず状況判断してディフェンスしよう。

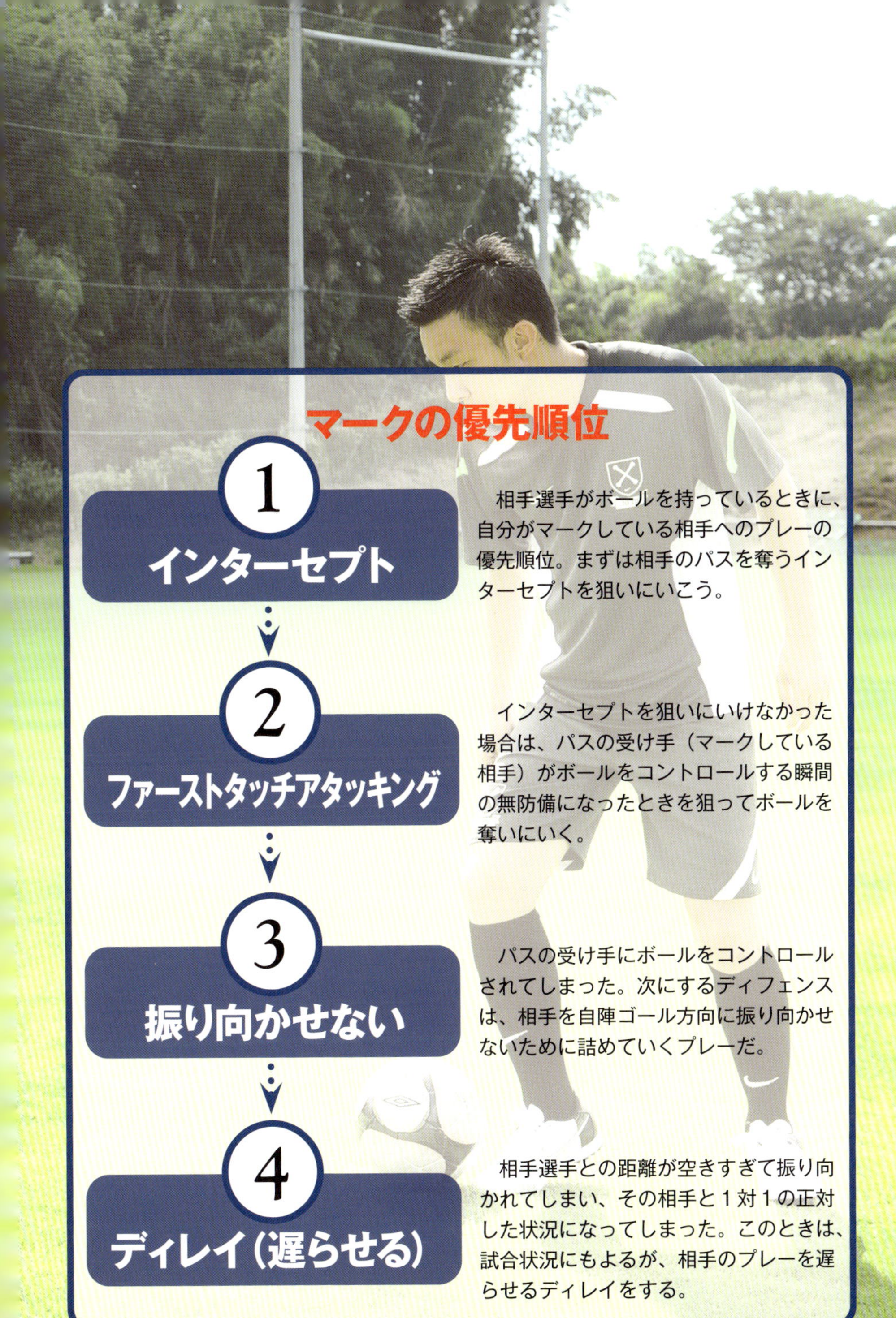

マークの優先順位

1 インターセプト

相手選手がボールを持っているときに、自分がマークしている相手へのプレーの優先順位。まずは相手のパスを奪うインターセプトを狙いにいこう。

2 ファーストタッチアタッキング

インターセプトを狙いにいけなかった場合は、パスの受け手（マークしている相手）がボールをコントロールする瞬間の無防備になったときを狙ってボールを奪いにいく。

3 振り向かせない

パスの受け手にボールをコントロールされてしまった。次にするディフェンスは、相手を自陣ゴール方向に振り向かせないために詰めていくプレーだ。

4 ディレイ（遅らせる）

相手選手との距離が空きすぎて振り向かれてしまい、その相手と1対1の正対した状況になってしまった。このときは、試合状況にもよるが、相手のプレーを遅らせるディレイをする。

CONTENTS

サッカー ディフェンダー 上達のコツ50 新装版
鉄壁の技術と戦術を極める

PART1 ディフェンダー技術のコツ

01 **マークの付き方**
ゾーンかマンツーマンでマークの付き方が変わる …… 14

02 **ポジショニングのセオリー**
裏を取られないように距離感を保ちながら守る …… 16

03 **インターセプトの狙い方**
パスが出る瞬間を狙って相手が触る前にカットする …… 18

04 **トラップ際でボールを奪う**
相手が無防備になるタイミングを突く …… 20

05 **ボールが入ったときの対処法**
背後からプレッシャーを与えて振り向かせない …… 22

06 **1対1での構え方**
ワンサイドカットで狭いほうへ追い込んで奪う …… 24

07 **身体を入れてボールを奪う**
ボールが足から離れた瞬間に身体を割り込ませる …… 26

08 **相手の動きを読む**
身体の動きで相手の狙いを先読みしてプレーを止める …… 28

09 **背後を取られたときの対処法**
真後ろから追いかけず斜め後ろから追いかける …… 30

10 **チャレンジ&カバー**
1人がチャレンジしたらもう1人がカバーする …… 32

11 **スライディングの使いどころ**
スライディングは最終手段。必要な場面だけで使う …… 34

12 **ドリブルへのスライディング**
スピード勝負に持ち込ませない …… 36

13 **近距離でのスライディング**
横にドリブルしてきたときは近いほうの足を伸ばす …… 38

14 **シュートブロックのスライディング**
相手のシュートコースに自分の身体を置くイメージ …… 40

15 **クロスブロックのスライディング**
サイドからクロスを上げさせないスライディング …… 42

16 **DFラインの基本設定**
「どこから守るか」をチームとして決めておく …… 44

17 **DFラインを押し上げるタイミング**
ボールを持った選手の状態でラインを細かく上下させる …… 46

18 オフサイドの取り方
パスが出てくる瞬間にオフサイドポジションに置く …… 48
19 オフサイドを使った駆け引き
ＤＦラインを高く保って裏の飛び出しを抑える …… 50
20 味方を動かすコーチング
自分が動かなくてもボールは奪える …… 52

PART2 センターバックのコツ

21 役割と考え方
現代サッカーではＣＢにもあらゆる要素が求められる …… 56
22 マークの付き方
相手とつかず離れずの距離感を保ってマークする …… 58
23 ターン型のＦＷの止め方
自分の行かせたいほうへ誘導してボールを奪う …… 60
24 ポスト型のＦＷの止め方
バックパスを出させれば“勝ち”だと割り切る …… 62
25 スピード型のＦＷの止め方
相手がスピードに乗る前にコースを塞いで止める …… 64
26 パサーとの駆け引き
敢えてパスコースを空けて出したところを狙う …… 66
27 ヘディングのポジショニング
落下地点の少し後ろから勢いをつけて走り込む …… 68
28 ヘディングのパターン
跳ね返すヘディングと近くに落とすヘディング …… 70
29 ヘディングのインパクト
正しい位置でとらえてしっかりボールを飛ばす …… 72
30 背の高い相手に競り勝つ方法
相手のジャンプを利用して飛び競り勝つ …… 74
31 シュートコースを限定する
ＧＫと連携してシュートを止める …… 76
32 ビルドアップ
ＣＢからのパスが攻撃の１歩目になる …… 78
33 ビルドアップ時のサポート
バックステップでパスを受けられる角度を作る …… 80
34 至近距離でかわす
相手との距離が近くても慌てずにかわす …… 82
35 運ぶドリブル
ドリブルで引きつけて味方をフリーにする …… 84

PART3　サイドバックのコツ

36　役割と考え方
攻撃型から守備型までプレースタイルは十人十色 …… 88
37　ポジショニングのセオリー
ボールの位置によって細かくポジションチェンジ …… 90
38　１対１のディフェンス
相手を縦に追い込んでボールを奪う …… 92
39　タイプ別の守り方
相手のタイプを見極めて守り方を変える …… 94
40　数的不利での守り方
数的不利な状況のときはむやみに飛び込まない …… 96
41　数的同数での守り方
カバーリングの味方と協力してボールを奪う …… 98
42　攻め上がりのタイミング
相手が見ていないときが攻め上がるタイミング …… 100
43　オーバーラップのパターン
ＳＢが上がることでプレーの選択肢を増やす …… 102
44　マイナスのクロス
深い位置までえぐれば得点のチャンスが広がる …… 104
45　クロスの蹴り方
質の高いクロスを味方に合わせる …… 106
46　クロスの狙いどころ
選択肢はＤＦとＧＫの間かＤＦの上を通す２パターン …… 108
47　ドリブルの持ち出し
ドリブルで前方へ持ち出してDFラインを押し上げる …… 110
48　ファーストタッチの置き場所
ファーストタッチでプレーの９割が決まる …… 112
49　ロングフィード
前線への正確なフィードで攻撃の起点を作る …… 114
50　クサビのパス
強くて速い正確なパスを味方にピタリとつける …… 116

システムの特性　４バックシステム …… 118
３バックシステム …… 120
索引 …… 122
監修者紹介 …… 126

PART 1

ディフェンダー技術のコツ

ゾーンかマンツーマンでマークの付き方が変わる

POINT
❶マンツーマンは人に付いていく守り方
❷ゾーンは自分の担当するゾーンを守る
付いていくのはマンツー
隣に受け渡すのはゾーン

ゾーンとマンツーマンの違いを知る

ディフェンスのマークの付き方は大きくゾーンディフェンスとマンツーマンディフェンスの２種類に分けられる。

マンツーマンはマークする選手を設定して、その選手の動きに合わせて付いていくやり方。マークの受け渡しが発生しないので混乱が少なくなるのがメリットだ。

ゾーンは選手がそれぞれの担当するエリアを守るというもの。相手に付いていくのではなく、マークを受け渡しながら守るので、守備陣形のバランスが崩れにくい利点がある。

POINT 1 マンツーマンは人に付いていく守り方

マンツーマンディフェンスは、文字通り人に付いていく守り方なので、ＤＦはマークする相手の動きに合わせて自分のポジションを移動しながら守る。人に付いていく分、スペースを作られてしまうこともあるので、他のＤＦはカバーリングの意識を高く持たなければいけない。ただし、最近は完全に全員にマンツーマンで付くというチームは少なくなっている。

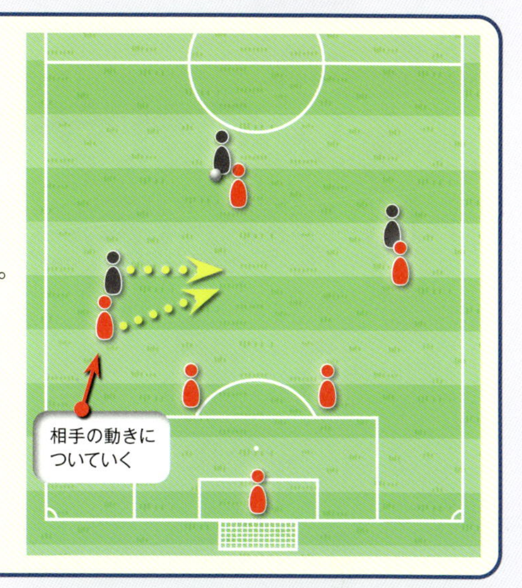

相手の動きについていく

POINT 2 ゾーンは自分の担当するゾーンを守る

ゾーンディフェンスは、それぞれの選手が自分の担当するゾーンに入ってきた相手をマークするというもの。マークの受け渡しを行うので、マンツーマンに比べて体力的なロスが軽減される、効率的な守り方といえる。ゾーンの弱点は担当エリア同士の境目。どちらが付くのかハッキリしないことも多く、そこに入って来られるとフリーになりやすいので気をつけよう。

相手が動いたらマークを受け渡す

できないときは ココ

最初はマンツーマンでしっかり人に付く意識を持たせてから、ゾーンに移行したほうがうまくいく。

チェックしよう!

- □マンツーのときに生まれやすいスペースをカバーできているか
- □ゾーンのとき、担当エリアの境目のマークがハッキリしているか

裏を取られないように距離感を保ちながら守る

POINT

❶ボールとゴールを結んだ線上に立つ
❷ボールとマークを同一視野に収める
❸くっつき過ぎると裏を取られやすい

最適なポジショニングを見つける

どれだけ身体能力が高い選手だとしてもポジショニングの時点で大きなミスがあれば、ピンチを作られてしまう。センターバックでもサイドバックでも、ＤＦは常に集中しながら、最適なポジショニングをとり続けなければならない。

相手のタイプや自分のスタイルによっても変わってはくるが、ボールとゴールを結んだ線上に立つ、ボールとマークしている選手が視野に入る位置を取る、相手選手とくっつき過ぎずに適度な距離感を保つという２点を心掛けよう。

POINT 1

ボールとゴールを結んだ線上に立つ

相手がボールを持っている場合は、自分の守っているゴールとボールを結んだ線上に立つことを意識する。ゴールへのコースを空けて守ると、シュートを打たれやすくなってしまう。

POINT 2

ボールとマークを同一視野に収める

ボールを保持していない選手をマークするときは、ボール（を持っている選手）と自分のマークを同一視野に収められるポジションをとるのがセオリー。身体の向きにも気をつけよう。

POINT 3

くっつき過ぎると裏を取られやすい

ボールを持っていない選手をマークする際、ピッタリとくっつかないほうがいい。相手に裏に回られたり、急に動き出されたりしたとき、マークを外しやすく、ミスの要因になる。

できないときは

マークを外してしまう選手は、ボールに気を取られていることが多いので、周りを見る習慣をつけよう。

チェックしよう!

- □ゴールとボールの中心に立っているか
- □ボールとマークを同時に見られているか
- □相手と適度な距離を保っているか

コツ
03

パスが出る瞬間を狙って相手が触る前にカットする

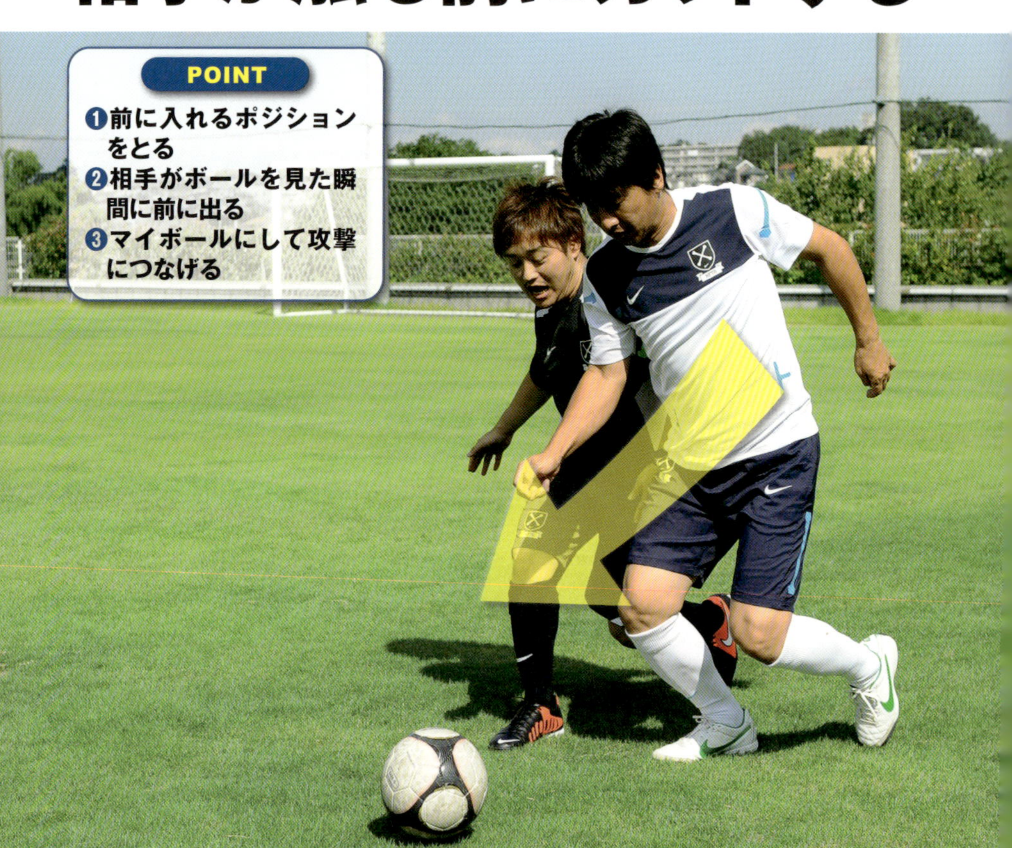
POINT
❶前に入れるポジションをとる
❷相手がボールを見た瞬間に前に出る
❸マイボールにして攻撃につなげる

パサーの状況をよく見る

マークしている選手にボールが入る瞬間に前に入ってカットするインターセプトは、ＤＦとしては積極的に狙っていきたいプレーといえる。

しかし、いつでも狙えばいいわけではないということ。ボールを持っている選手がフリーで、顔を上げている状態であれば、相手の前に入ろうとした瞬間に裏を取られてしまう。ボールを持った選手に対してプレッシャーがかかっていて、パスのタイミングやコースが限定できているときが狙いどころとなる。

POINT 1 前に入れるポジションをとる

ボールが出た瞬間に相手の前に素早く入れる距離を保って、ボールがある側のナナメ後ろにポジションをとる。相手の後ろに立っていると、パサーの状態が見えづらくなってしまう。

POINT 2 相手がボールを見た瞬間に前に出る

前に出るタイミングは、パサーが蹴り足を上げて、ボールを見るために顔を下げたとき。身体の向きや軸足の方向からパスコースとタイミングを予測し、素早く相手の前に割り込む。

POINT 3 マイボールにして攻撃につなげる

パスをカットしただけで満足するのではなく、しっかりとボールを取り切って自分たちの攻撃につなげよう。利き足でボールを奪いに行ったほうがコントロールしやすくなる。

できないときは ココ

インターセプトを相手に警戒されている可能性があるので、狙っていることを悟られないようにしよう。

チェックしよう!

- □ポジショニングが合っているか
- □パサーの状況を見ているか
- □攻撃につなげられているか

相手が無防備になるタイミングを突く

トラップ際で詰める

相手がボールをコントロールした瞬間は、ＤＦにとって絶好のボールの奪いどころになる。ボールを受ける前から距離を詰めてプレッシャーを与えて、トラップが大きくなった瞬間にボールの間に身体を入れて奪い取ろう。

POINT

❶ボールが動いている間に距離を詰める
❷距離感は1.5mぐらい

POINT 1 ボールが動いている間に距離を詰める

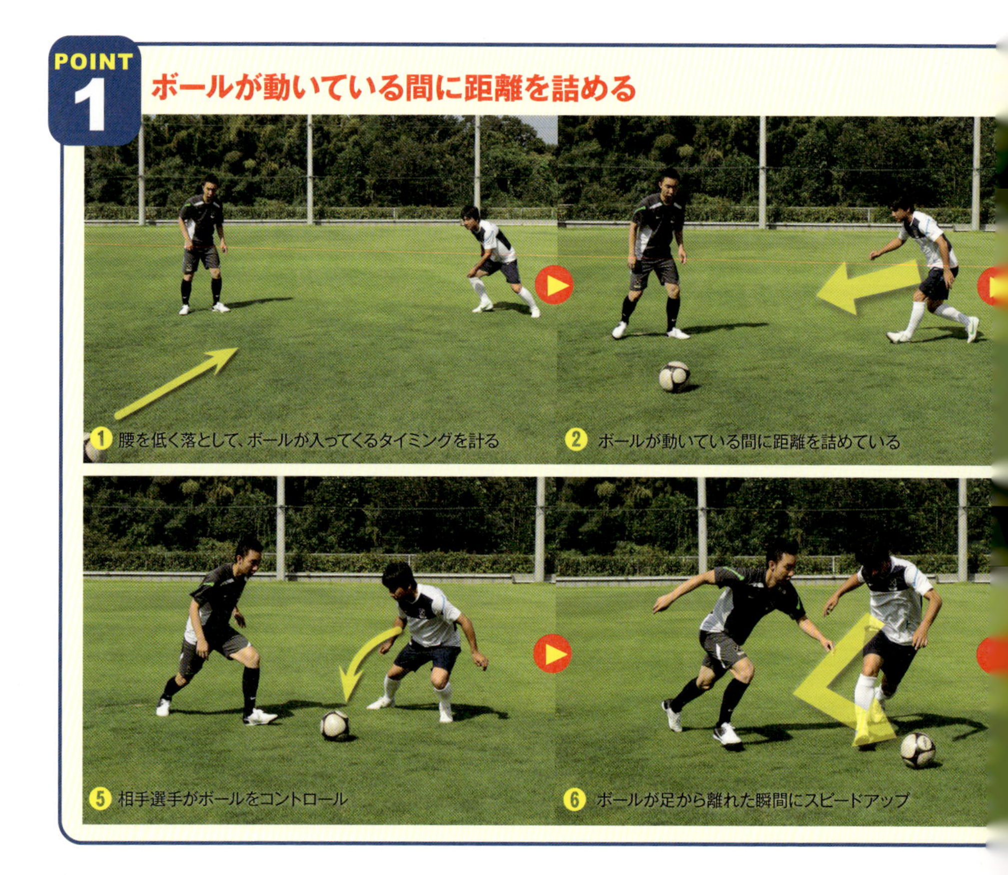

① 腰を低く落として、ボールが入ってくるタイミングを計る

② ボールが動いている間に距離を詰めている

⑤ 相手選手がボールをコントロール

⑥ ボールが足から離れた瞬間にスピードアップ

POINT 2 距離感は1.5mぐらい

ボールが動いている間に相手と1.5mぐらいの距離まで詰める。これ以上近づくと、トラップで置いて行かれる可能性がある。相手とは正対するのではなく、自分の行かせたいコースに誘導するように守ろう。

できないときはココ

ボールが相手の足に入ってから寄せ始めると遅いので、ボールが動いている間にできるだけ寄せよう。

チェックしよう!

- □ボールが動いている間に寄せられているか
- □ボールが足から離れた瞬間を見逃していないか

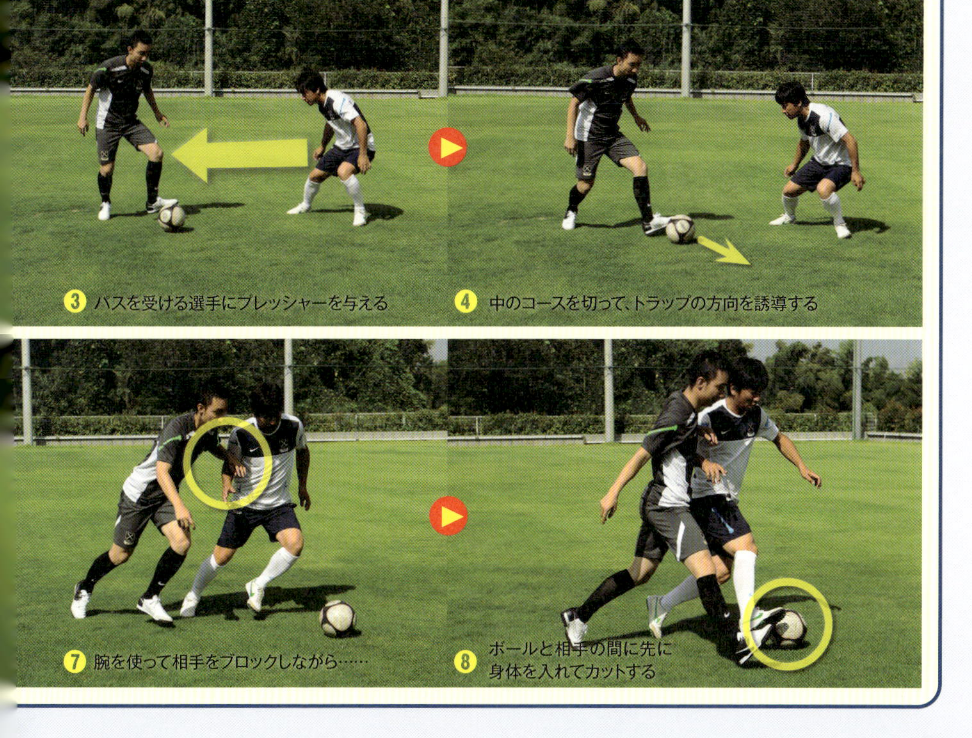

③ パスを受ける選手にプレッシャーを与える

④ 中のコースを切って、トラップの方向を誘導する

⑦ 腕を使って相手をブロックしながら……

⑧ ボールと相手の間に先に身体を入れてカットする

背後からプレッシャーを与えて振り向かせない

POINT

❶手を当てて触れられる距離を保つ
❷密着するとターンされやすい
❸手と足で追い込みをかける

プレーの優先順位を切り替える

FWにクサビのパスが入ってしまったときは、無理に足を出しに行かないほうが賢明だ。身体をピッタリと密着させた状態にしている選手もいるが、ターンされたときに入れ替わられてしまう危険性があるからだ。

ボールが入ってしまったら、プレーの優先順位を「ボールを奪いに行く」から「簡単に振り向かせない」に切り替えて、背中側からプレッシャーをかける。そして、他の選手と連動しながら挟み込んでボールを奪いに行こう。

POINT 1 手を当てて触れられる距離を保つ

ＦＷにボールが入ったときは、手を伸ばして相手の身体に触れられる距離を保ちながら、半身の体勢でアプローチする。相手が振り向こうとしたところで、素早くボールをつついて奪う。

POINT 2 密着するとターンされやすい

ＦＷにピッタリと身体をくっつけてしまうと、ボールが見えづらいので駆け引きで不利になる。このように足を揃えた状態で立っていると、ターンされたときの動き出しに遅れが生じる。

POINT 3 手と足で追い込みをかける

ターンしようとしてきたときは、どちらかのサイドに追い込むのがセオリー。この際、ファウルにならない程度に手や足を使って相手の動きを制限し、自分の行かせたい方向へ誘導しよう。

できないときは ココ

ボールが入ってしまったときは一旦距離を取って、相手ＦＷがどんなプレーを狙っているか見極める。

チェックしよう!

- □適度な距離を保っているか
- □くっつき過ぎていないか
- □どちらかに追い込めているか

ワンサイドカットで狭いほうへ追い込んで奪う

POINT
❶腰を低く落とし準備状態にする
❷ワンサイドカットで方向を限定させる
❸ボールを持っている足の前に立つ

自分からアクションを起こす

相手がボールを持って仕掛けてくる1対1では、相手が何をしてくるのかをじっと待つのではなく、自分からもアクションを起こしながら、積極的にディフェンスをしたい。

ここでも重要なのは相手との距離感だ。近過ぎるとかさわれてしまうし、遠過ぎると相手にプレッシャーを感じさせることができない。

そして、身体の向きで相手のコースを限定し、狭いほうに追い込んでボールを一気に奪い取ろう。

POINT 1 腰を低く落とし準備状態にする

1対1での基本姿勢。腰を低く落として、いつでもボールに足を出せるように準備しよう。身体に力が入っていると一歩目が出ないので、肩の力を抜いて上半身をリラックスさせること。

POINT 2 ワンサイドカットで方向を限定させる

1対1でのセオリーは、「相手を狭いほうに追い込む」というもの。サイドで仕掛けてきた場合、ゴールとボールを結んだ線上に立ちながら中に突破させないようなポジショニングをとる。

POINT 3 ボールを持っている足の前に立つ

相手との距離感は1.5メートルぐらいが基本。ただし、ドリブル中は相手がこちらに向かってくるので、微調整しよう。ボールを持っている足の前に立つことでプレーさせにくくする。

できないときはココ

1対1でかわされやすいのは、すぐに飛び込んでしまうから。まずは相手の状態を観察することを心掛けて。

チェックしよう!

□腰を低く落として、適度にリラックスした状態で守っているか
□危険なコースを切りながら、狭いほうへ追い込めているか

PART1 ディフェンダー技術のコツ ■ 身体を入れてボールを奪う

ボールが足から離れた瞬間に身体を割り込ませる

相手の身体を先に止める

前を向いて仕掛けてくる相手に対しては、ボールが足から離れた瞬間を狙いたい。ボールが足から離れたときは、相手は進行方向を変えることができないので、ボールと相手の間に身体を素早く割り込ませて、ブロックしながら自分のボールにする。

POINT

❶ドリブルで仕掛けさせて奪う
❷ボールを奪ったら守備から攻撃につなげる

POINT 1 ドリブルで仕掛けさせて奪う

① 左サイドでの1対1

② ワンサイドカットで縦に誘導する

⑤ 相手の進路方向に入ってブロック

⑥ ボールと相手の間に身体を入れる

POINT 2 ボールを奪ったら守備から攻撃につなげる

良いＤＦの条件とは、ボールを奪ったところで自分の仕事が終わったと満足するのではなく、奪った後に攻撃の起点になれること。マイボールにしたら相手と入れ替わって、前を向いてボールを運んでいく。

できないときはココ

スピードに自信がない選手は、タイミングを少しだけ早めて、仕掛けてくる一つ前のところで動き出そう。

チェックしよう!

- □ボールが足から離れた瞬間を狙って、早めに動き出しているか
- □ファウルにならない程度に身体で相手をブロックしているか
- □ボールを奪った後にコントロールして攻撃につなげているか

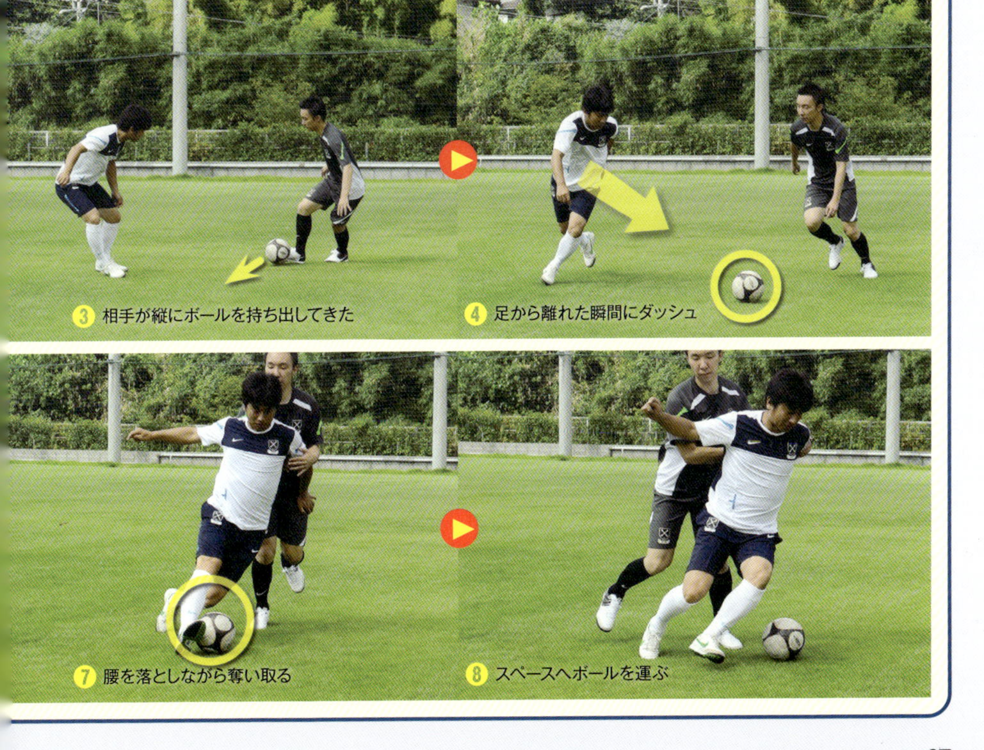

③ 相手が縦にボールを持ち出してきた
④ 足から離れた瞬間にダッシュ
⑦ 腰を落としながら奪い取る
⑧ スペースへボールを運ぶ

身体の動きで相手の狙いを先読みしてプレーを止める

POINT
❶コントロールは利き足か逆足かを見極める
❷ボールを見た瞬間が突破のタイミング
❸肩の動きを見れば突破の方向がわかる

プレーヤーは何かしらの癖を持っている

1対1では相手の動きを観察することも大事だ。なぜなら、相手の動きや癖を読めるようになれば、相手が仕掛けてくるよりも前に反応して、ピンチを未然に防ぐこともできるからだ。

一般的には仕掛ける瞬間はボールに視線を落としたり、ボールを持ち出す方向の肩が下がったりすることが多い。もちろん、選手個々の癖も存在する。必ず止めなければとあまりに熱中しすぎるより、ちょっと余裕を持って冷静に判断したほうが止めやすい。

POINT 1 コントロールは利き足か逆足かを見極める

ボールをどっちの足で持っているかが第一の確認ポイント。利き足で持っている場合は特に問題はないが、利き足じゃないほうで持っていれば、仕掛けるときに持ち替える可能性が高い。

POINT 2 ボールを見た瞬間が突破のタイミング

ドリブルで仕掛ける前のタイミングで、ボールを見るために下を向く。下を向いたらスピードアップしたり、方向を変えたりしてくる確率が高いので、うかつに飛び込まないように。

POINT 3 肩の動きを見れば突破の方向がわかる

人間の身体はスピードに乗ったドリブルを仕掛けようとするとき、行こうとする方向の肩が下がる。進行方向がわかっていれば、相手のほうが速くても、先に身体をコースに入れて奪える。

できないときは

ココ

身体の動きばかりに気を取られていると、肝心のディフェンス動作が遅くなるので、タイミングをつかもう。

チェックしよう!

□ボールを利き足に持ち替えたときが仕掛けてくるタイミング
□スピードアップしてくるときは、肩を見れば進行方向がわかる

真後ろから追いかけず 斜め後ろから追いかける

回り込むようなイメージで追いかける

スルーパスで背後を取られそうになったときは、ボールを直線的に追いかけるのではなく、相手がトラップする地点を予測して、そこに回り込むようなイメージで追いかける。トラップでボールが足から離れたところに狙いを絞ってカットする。

POINT

❶背後へのスルーパスは回り込んで追う
❷相手FWと駆け引きをする

POINT 1 背後へのスルーパスは回り込んで追う

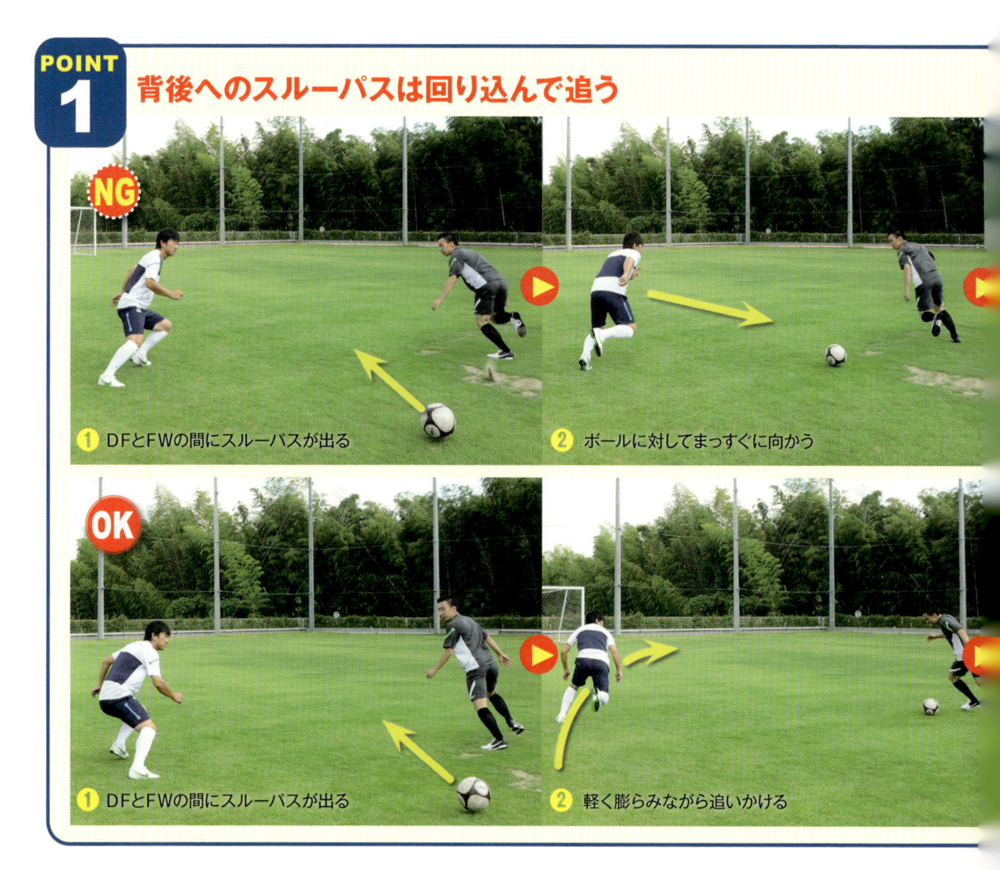

NG ① DFとFWの間にスルーパスが出る　② ボールに対してまっすぐに向かう

OK ① DFとFWの間にスルーパスが出る　② 軽く膨らみながら追いかける

POINT 2 相手FWと駆け引きをする

1発で裏に飛び出そうとしてくるFWには、DFラインを上げてFWをオフサイドポジションにするなど、駆け引きをすることが大事になる。裏を取られるのを怖がってズルズル下がらないように気をつけよう。

できないときはココ

ボールを目で追い過ぎると裏を取られやすいので、ボールとマーク相手を「ぼんやり」と見るようにする。

チェックしよう!

- □パスが出てくる前に勇気を持ってラインを上げているか
- □トラップ地点を予測したコース取りができているか
- □トラップしたところにタイミングよく狙っているか

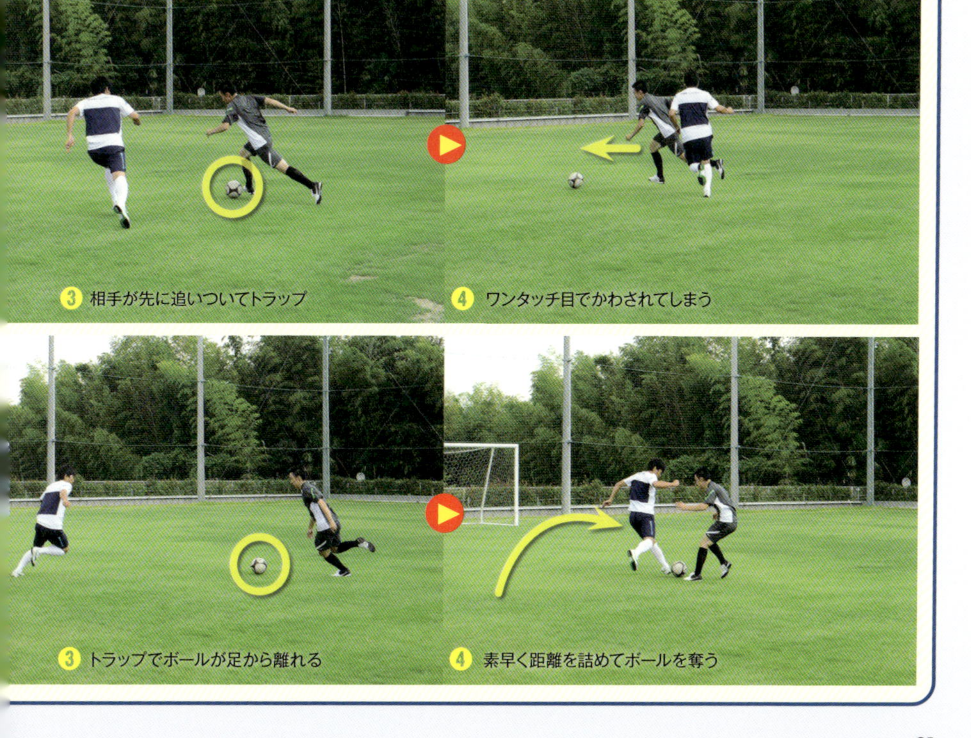

3 相手が先に追いついてトラップ

4 ワンタッチ目でかわされてしまう

3 トラップでボールが足から離れる

4 素早く距離を詰めてボールを奪う

コツ
10

1人がチャレンジしたらもう1人がカバーする

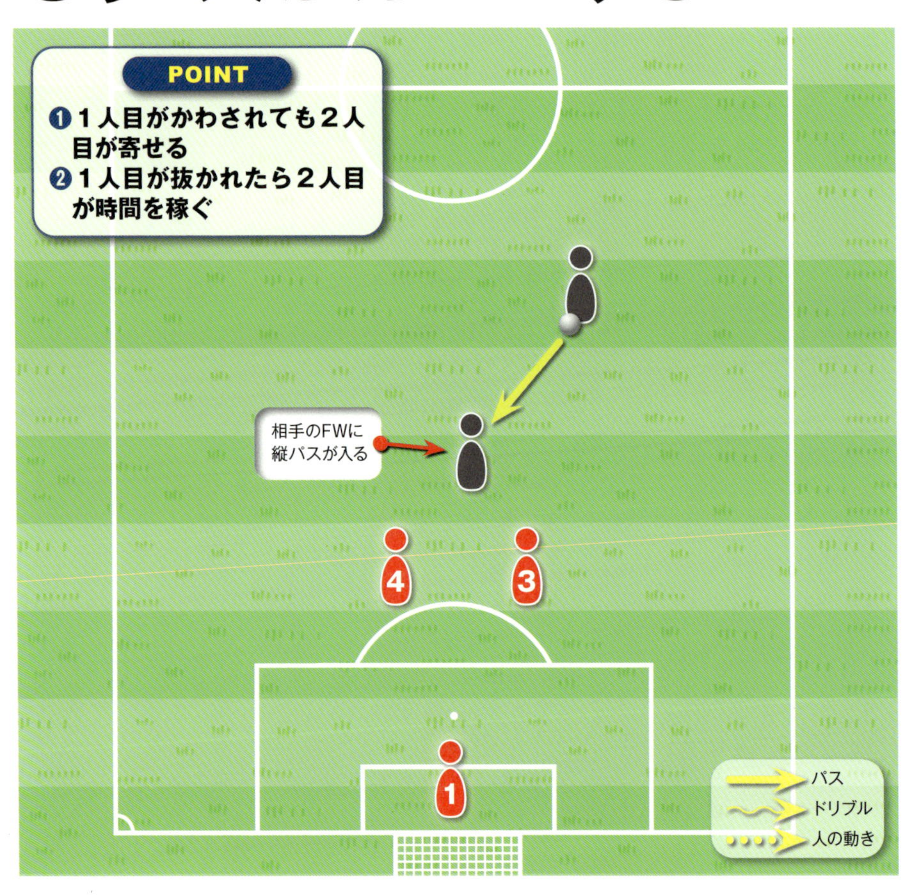
POINT
❶1人目がかわされても2人目が寄せる
❷1人目が抜かれたら2人目が時間を稼ぐ
相手のFWに縦パスが入る
4
3
1
パス
ドリブル
人の動き

ディフェンスのリスク管理

チャレンジ&カバーは、ディフェンスにおける基本的な約束事。ＦＷにクサビのパスが入ったとする。ＤＦが２人いるとすれば、どちらかは必ず寄せに行く。このとき、もう１人のＤＦは抜かれたりしたときのことを想定したポジションをとるようにしよう。

もしも、１人目のＤＦが抜かれたときは２人目のＤＦが寄せに行って、その間に抜かれた１人目のＤＦはカバーリングのポジションにつく。守備の強いチームはこれをサボらずにやっている。

POINT 1

1人目がかわされても2人目が寄せる

縦パスが入りそうなときは、２人のＤＦのうちの１人はインターセプトを狙う。インターセプトができなくても、簡単に振り向かせないように寄せる。もう１人のＤＦの４番は一緒になってボールを奪いに行くのではなく、１人目のＤＦの３番がかわされたときに、すぐに出て行けるポジションをとる。これによって２人が一気に置き去りにされるリスクが小さくなる。

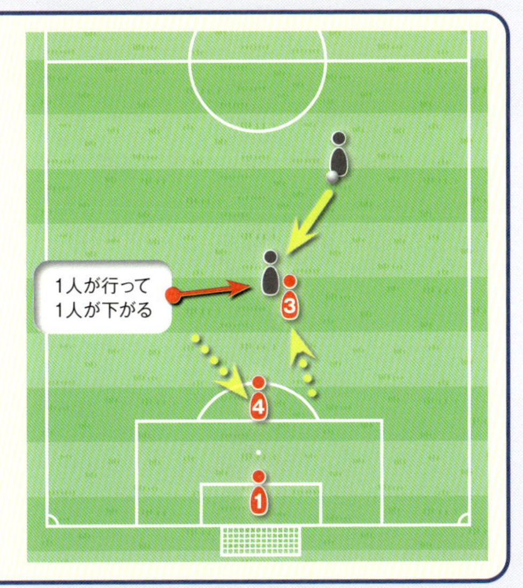

1人が行って
1人が下がる

POINT 2

1人目が抜かれたら2人目が時間を稼ぐ

１人目のＤＦの３番がインターセプトを狙って触れなかったり、ＦＷにターンされてしまったりしたときは、２人目のＤＦの４番がアプローチに行く。もちろんチャンスがあればボールを積極的に奪いに行ってもいいが、基本的にはディレイ（守りながら下がる）しながら、抜かれたＤＦが戻ってくるまでの時間を稼ぐ。１対２になれば守備側が有利な状態で守ることができる。

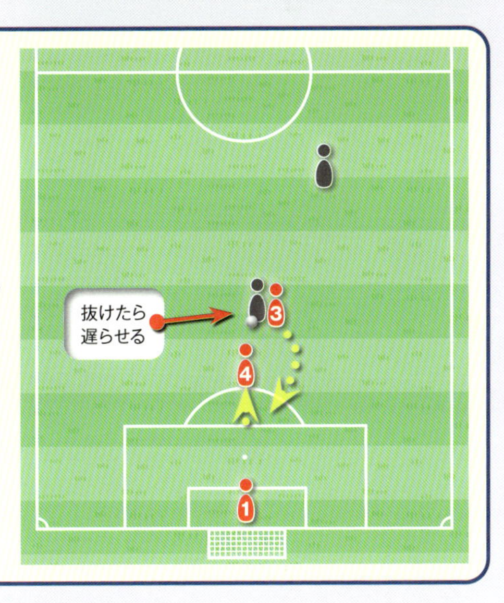

抜けたら
遅らせる

できないときは

あうんの呼吸でやるのは難しいので、ＤＦ同士で「行くぞ！」「残れ！」とか声を出し合うことが大事だ。

チェックしよう!

- □縦パスを受ける選手に対して、１人目のＤＦが寄せているか
- □２人目のＤＦは１人目が抜かれたときのことを考えているか

スライディングは最終手段。必要な場面だけで使う

POINT

1. 不利な状況でも先に触りたいときに有効
2. ドリブルで突破されそうなときにクリアとして使う
3. ゴール前でシュートを打たれそうなときに使う

最初からスライディングには頼らない

スライディングはできればしないほうがいいプレーだ。なぜなら、スライディングをしてかわされると、立ち上がるまでに時間がかかるため、完全に置いて行かれてしまうからだ。最初からスライディングに頼るのではなく良い体勢でボールを奪う技術を身につけよう。

ただし、試合中はスライディングをしなければならない場面が必ず訪れる。このままでは裏をとられる、突破される、シュートを打たれる……スライディングはピンチを食い止めるための最終手段なのだ。

POINT 1 不利な状況でも先に触りたいときに有効

マークしている相手がスペースでボールを受けようとしている。自分のほうがやや後ろから追いかけている時は、スライディングをすることでマーカーとの距離を縮めることができる。

POINT 2 ドリブルで突破されそうなときにクリアとして使う

ドリブルで仕掛けてきた相手に抜かれてしまい、後ろから追いかけてきているときは、スライディングでクリアする。後ろから足にタックルすると警告や退場の対象になるのでやめよう。

POINT 3 ゴール前でシュートを打たれそうなときに使う

ゴール前で相手がシュートを打とうとしているところを、スライディングで止める。ボールに行くのではなくシュートコースに入って、ブロックを作ったところに当てるイメージでやろう。

できないときはココ

土のグラウンドだと痛くてすりむくことがあるので、最初はマットの上などで練習するといいだろう。

チェックしよう！

- □ファウルをせずにクリーンにボールを奪えているか
- □シュートを打たれそうな場面で身体を投げ出しているか

スピード勝負に持ち込ませない

横からスライディングでボールをかっさらう

スペースに大きく蹴り出してスピードでぶっちぎる……。このタイプはスピードに乗る前に食い止めたいところ。スペースに蹴り出す分、ボールが足から離れるので、そのタイミングを狙ってスライディングで横からかっさらうようにクリアする。

POINT

❶相手がスピードに乗る前にスライディングでクリア
❷ボールを絡め取って攻撃につなげる

POINT 1 相手がスピードに乗る前にスライディングでクリア

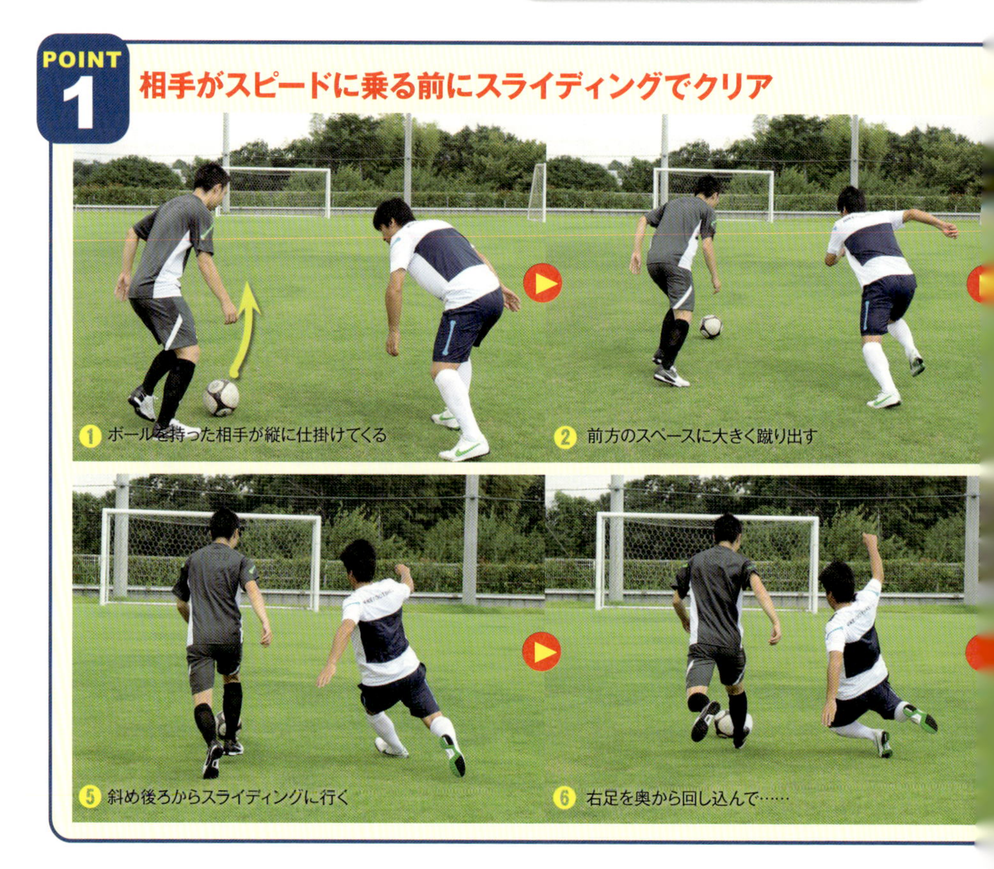

① ボールを持った相手が縦に仕掛けてくる

② 前方のスペースに大きく蹴り出す

⑤ 斜め後ろからスライディングに行く

⑥ 右足を奥から回し込んで……

POINT 2 ボールを絡め取って攻撃につなげる

ドリブルをカットするだけでなく、余裕があればマイボールにして攻撃につなげたい。スライディングではボールを「蹴る」のではなく、ツマ先で「絡め取る」ようにしながら、自分のほうへ持ってこよう。

できないときはココ

自分がどこまで届くのかわからないと失敗するので、相手をつけない状態でやって感覚をつかもう。

チェックしよう!

- □スピードに乗らせる前にアプローチできているか
- □スライディングをしやすい角度や体勢を作れているか
- □クリアするだけでなく、マイボールにする意識があるか

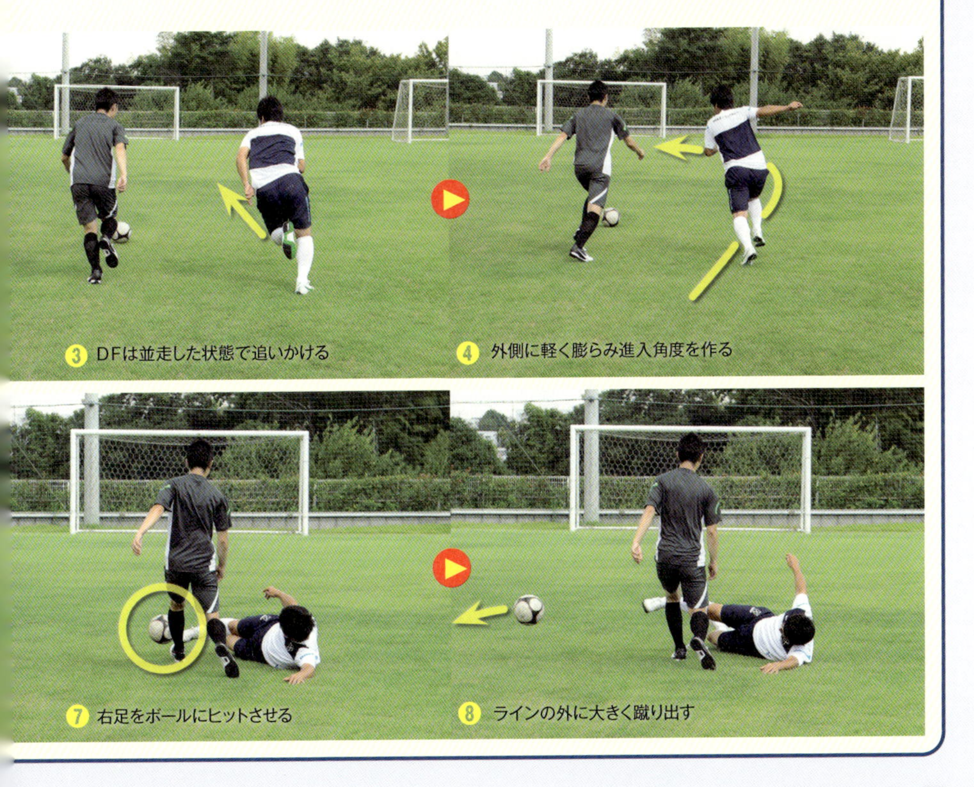

3 DFは並走した状態で追いかける

4 外側に軽く膨らみ進入角度を作る

7 右足をボールにヒットさせる

8 ラインの外に大きく蹴り出す

横にドリブルしてきたときは近いほうの足を伸ばす

最短距離のスライディング

自分の右側を相手が抜いてきて、左足を伸ばしても間に合わなさそうなときは、ボールに近いほうの右足を伸ばし、払うようにスライディングする。左足を伸ばしたときのようにボールを絡め取ることは難しいが、ドリブルをカットすることはできる。

POINT

❶ペナルティエリア付近でのスライディング
❷かわされた後はリカバーを素早く

POINT 1 ペナルティエリア付近でのスライディング

OK ① ゴール前で相手がドリブルで中に入ってきた

OK ② 左足を伸ばしていては間に合わなさそうなので……

NG ① 遠いほうの左足を伸ばしたが……

NG ② ボールに触れずに切り返される

POINT 2 かわされた後はリカバーを素早く

スライディングは身体を投げ出してボールを奪いに行くので、かわされたときのリスクを考えよう。スライディングで触れなかったときは、素早く立ち上がってリカバーし、相手がフリーになる時間を最小限に抑えること。

できないときは ココ

近いほうの足でスライディングをするときは助走がとれないので、その場に軽くジャンプするといい。

チェックしよう!

- □相手との距離や状況に応じて伸ばす足を選択しているか
- □スライディングでかわされた後に素早くリカバーできているか

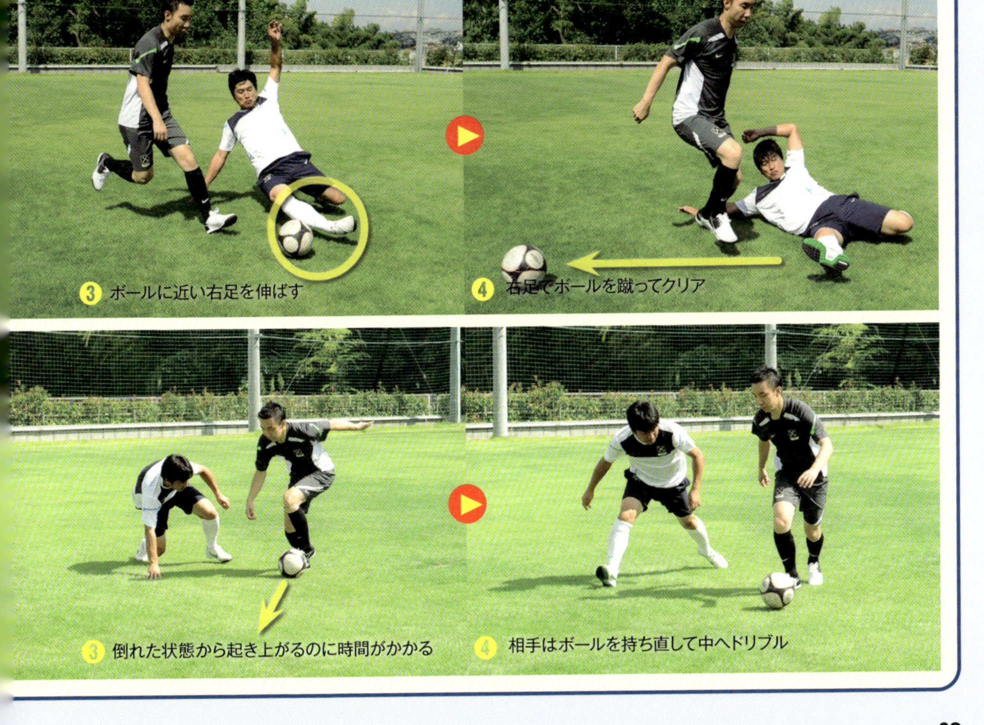

③ ボールに近い右足を伸ばす
④ 右足でボールを蹴ってクリア
③ 倒れた状態から起き上がるのに時間がかかる
④ 相手はボールを持ち直して中へドリブル

相手のシュートコースに自分の身体を置くイメージ

コースの限定をGKと役割分担する

シュートコースに自分の身体を置くイメージ。下のコースをＤＦが消すことによって、ＧＫは上のコースに集中できるので、例え当たらなくてもスライディングをした価値はある。ペナルティエリア内ではファウルにならないように気をつけよう。

POINT

❶身体を使ってシュートブロック
❷シューターの利き足の前に立つ

POINT 1 身体を使ってシュートブロック

❶ ペナルティエリア付近で相手がボールを持っている

❷ 相手が中にボールを持ち出す

❺ スライディングで止めに行く

❻ 左足を伸ばして、右足を内側に折り曲げる

POINT 2

シューターの利き足の前に立つ

ペナルティエリア付近で相手がボールを持っている場合は、シューターの利き足の前に立って、質の高いシュートを打たせないようにケアする。両足で打てる選手はどちらかの足を消して、切り返されたときはリカバリーする。

できないときはココ

ブロックが間に合わないときは、横移動が遅れている可能性があるので、サイドステップをしよう。

チェックしよう!

- □シューターのステップに合わせてジャストなタイミングで飛び込んでいるか
- □シュートコースに身体を投げ出すことで、GKを助けているか

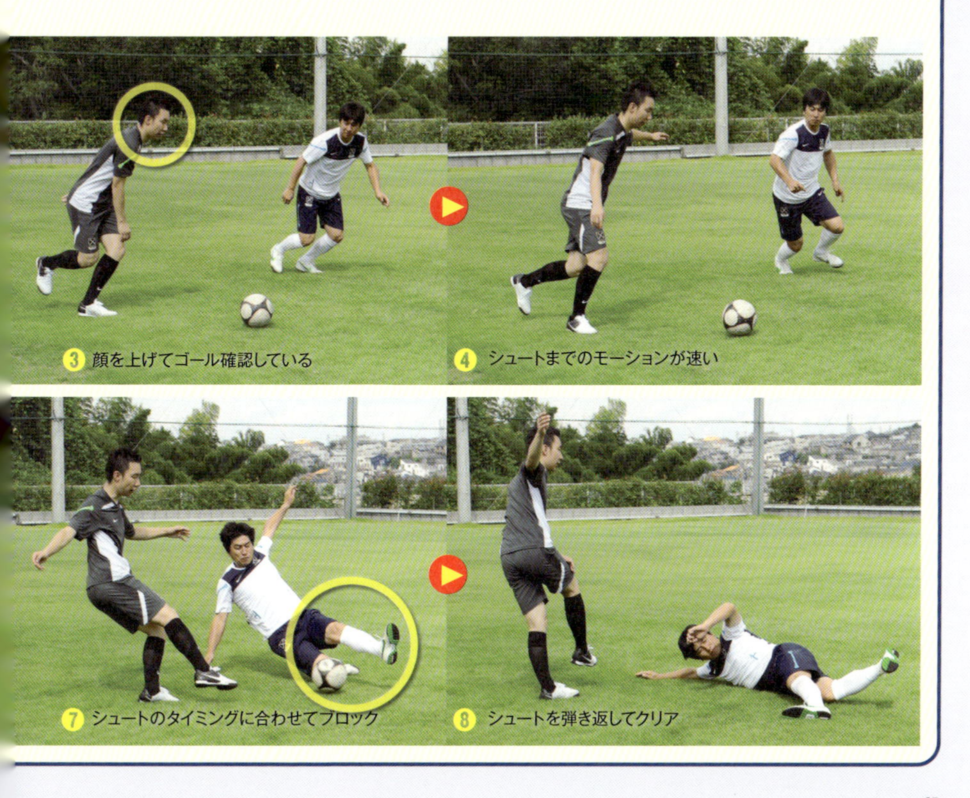

3 顔を上げてゴール確認している

4 シュートまでのモーションが速い

7 シュートのタイミングに合わせてブロック

8 シュートを弾き返してクリア

サイドからクロスを上げさせないスライディング

足を伸ばすタイミングが命

サイドからのクロスにもスライディングは応用できる。ただし、シュートでは身体を横に投げ出すことで、ボールに当たる面積が広くなるが、クロスブロックはピンポイントで当てなければいけない。相手のモーションに合わせて伸ばす足が命だ。

POINT

❶クロスをブロック
❷ボールを止めに行くと上げられてしまう

POINT 1 クロスをブロック

① 右サイドでスペースのボールに走り込む

② 相手はダイレクトでクロスを上げそうな雰囲気

⑤ フォロースルーでタイミングを合わせる

⑥ クロスの通り道に左足を伸ばす

POINT 2 ボールを止めに行くと上げられてしまう

クロスのコースに入るのではなく、ボールを止めに行くと、スライディングが間に合わない確率が高い。スピードがあれば別だが、相手のほうが優位な状況に立っているときはコースに入ったほうがベターだ。

できないときはココ

足を出してもボールが間を通り抜けてしまうときは、股を閉じ気味にしてコースを狭めるといい。

チェックしよう!

- □ボールではなくクロスのコースを予測して回り込んでいるか
- □フォロースルーのタイミングに合わせて足を出しているか
- □足を閉じて股を通されないようにしているか

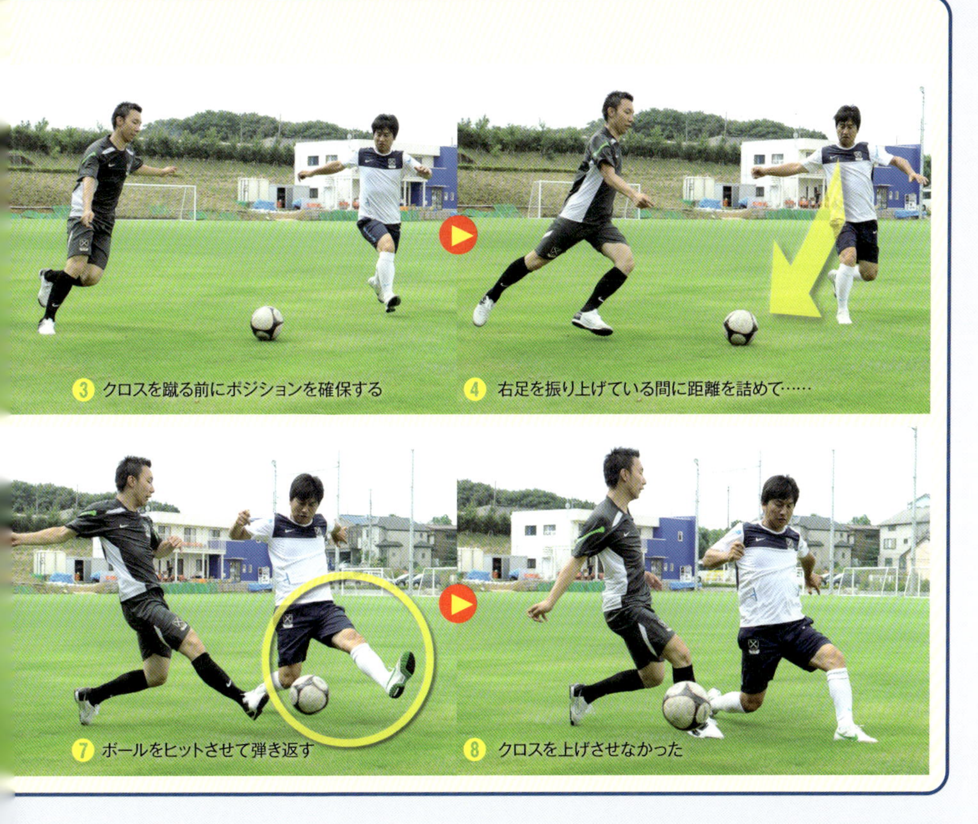

③ クロスを蹴る前にポジションを確保する

④ 右足を振り上げている間に距離を詰めて……

⑦ ボールをヒットさせて弾き返す

⑧ クロスを上げさせなかった

「どこから守るか」をチームとして決めておく

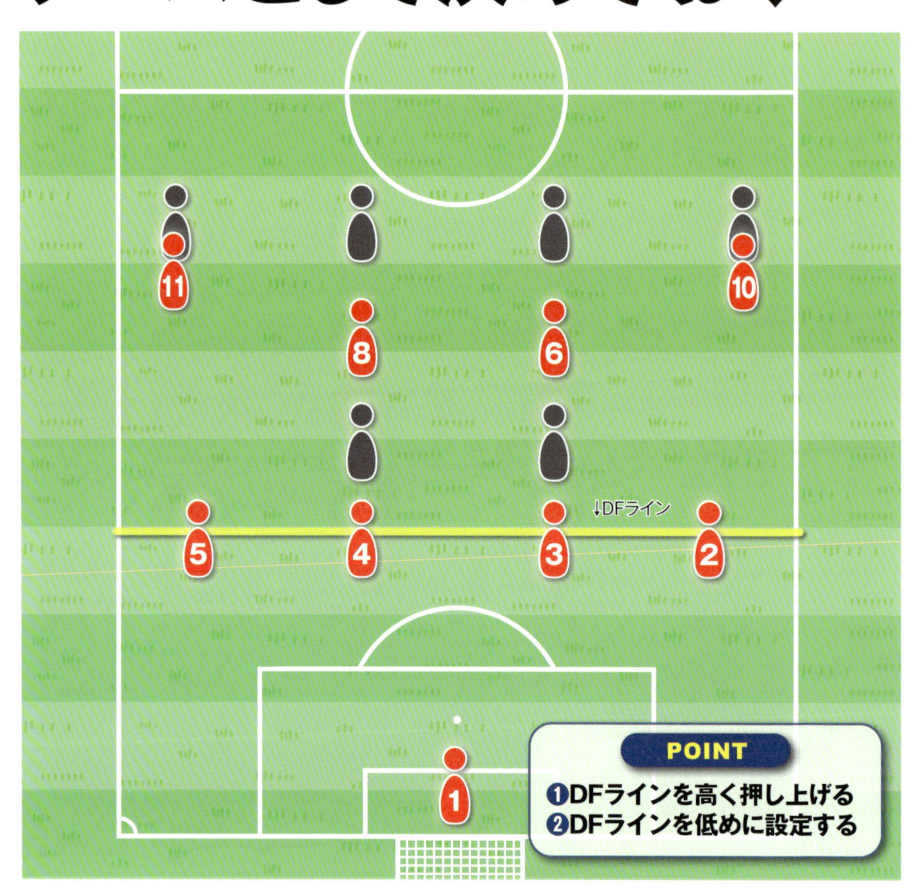

コンパクトな状態を保つ

組織的な守備をするには、チームとしてＤＦラインの高さを設定しておくことが大事になる。例えば、前線の選手が必死にボールを奪いに行こうとしているのに、ＤＦラインが後ろに引いていたら、中盤にスペースが生まれてしまって、ボールを回されてしまうだろう。

大事なのは、前線からプレスをかけるにしろ、引いて守るにしろ、ＦＷからＤＦまでの距離を30～40メートルぐらいに保った、いわゆる「コンパクト」な状態にすることだ。

POINT 1
DFラインを高く押し上げる

前線からプレスをかけていくときは、それに連動してDFラインを押し上げて、FWからDFまでの距離をコンパクトに保つことが重要になる。もしもDFラインが下がったままだと、選手同士の距離感が遠くなってしまうため、思うようにプレスがはまらない要因になってしまう。1試合を通じてDFラインの上下動を何度も繰り返すため、集中力とスタミナが求められる戦術といえる。

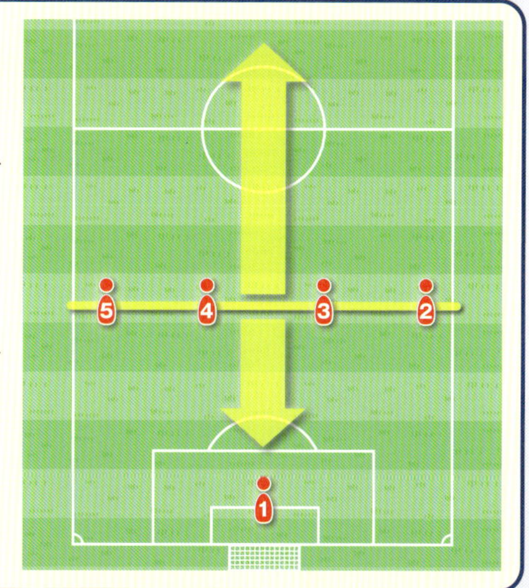

POINT 2
DFラインを低めに設定する

チーム戦術としてリトリート（引いた状態でブロックを作って守ること）などの守備戦術を採用している場合は、前線のプレスの位置がハーフウェーラインあたりになるため、それに合わせてDFラインも低くなる。ただし、DFラインを下げるのは、ペナルティエリアあたりまでを目安にしよう。それ以上低くなると、相手に押し込まれやすくなる。

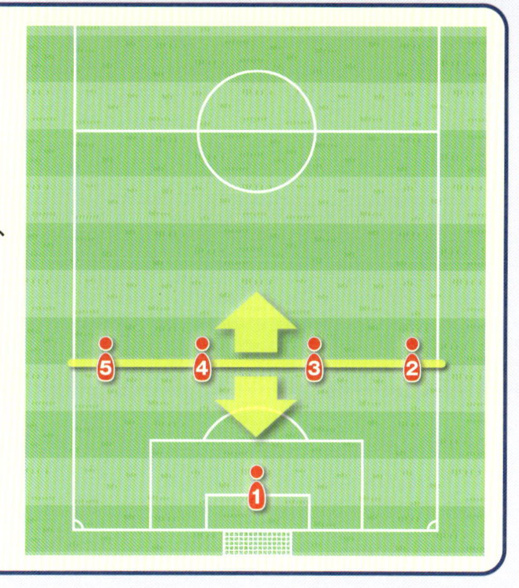

できないときはココ

ボールを持たず、FWの選手とDFの選手が同じ距離感を保ちながら動くトレーニングをやってみよう。

チェックしよう!

□FWからDFまでの距離感がコンパクトになっているか
□プレスをかけるときはDFラインを押し上げられているか

コツ
17

ボールを持った選手の状態でラインを細かく上下させる

POINT
❶プレッシャーがかかっていればDFラインを上げる
❷ボールホルダーがフリーならDFラインを下げる
ボールホルダーの状態を見る
6
5
4
3
2
1
パス
ドリブル
人の動き

ラインコントロールを身につける

　ＤＦラインを上げる、もしくは下げるかはボールを持っている選手、つまりボールホルダーの状態で決める。

　ボールホルダーにプレッシャーがかかっていて前にボールが出てこないときや、バックパスや横パスを出したときは、素早くラインを上げる。

　逆に、ボールホルダーが前を向いていて、プレッシャーがかかっていなければ、裏に良いボールを蹴られる可能性がある。ここでラインを上げると危ないので、先手を取ってラインを下げよう。

POINT 1 プレッシャーがかかっていればDFラインを上げる

ＤＦラインを上げるには、ボールホルダーにプレッシャーがかかっていることが条件になる。前にパスが出てくる確率が低いときに上げよう。前線にいる相手ＦＷをオフサイドポジションに置けば、後ろに下がらざるを得ないので、自陣ゴールから遠ざけることができる。また、ゆっくりとした横パスを出したときや、バックパスをしたときも、ＤＦラインを上げるチャンスになる。

相手が後ろ向きでボールを持っている

POINT 2 ボールホルダーがフリーならDFラインを下げる

ＤＦラインを下げるのは、相手が裏のスペースにボールを蹴れる状況にあるときだ。ボールホルダーがフリーの状態で、顔が上がっているときにラインを上げるのは、自分たちでピンチのリスクを大きくしているようなもの。このときは、裏に蹴られても素早くカバーできるように３メートル程度ラインを下げて、前線にいる選手を自分の視野の中に入れながらマークすること。

相手が前向きでボールを持っている

できないときはココ

最初はＤＦリーダーの選手が「上がれ！」「下がれ！」とコーチングして、タイミングを身体に覚えさせる。

チェックしよう!

- □ボールホルダーにプレッシャーがかかっているか
- □後ろ向きなのか、前向きの状態なのか
- □裏にパスを出してくる可能性はどれぐらいなのか

パスが出てくる瞬間にオフサイドポジションに置く

POINT
❶ボールとマークを同一視野に入れる
❷ボールが出る瞬間に一歩前に出る
❸「オフサイド！」というセルフジャッジはしない

失点ととなり合わせのプレー

ＤＦラインをコントロールして相手ＦＷをオフサイドに仕留めるオフサイドトラップ。うまくいけばフィジカルコンタクトをせずにマイボールにできる反面、失敗すれば一発で裏を取られてしまう、失点ととなり合わせのリスキーなプレーでもある。

成功するコツはパサーの動きを見極めて、「プレーを変えられない」タイミングでスッと前に出ること。ただし、育成年代ではオフサイドトラップに頼りすぎると守備力のレベルアップにつながらないので多用しすぎないほうがいいだろう。

POINT 1

ボールとマークを同一視野に入れる

オフサイドをとるには、パサーとマークしている相手を同一視野に収めておくことが必要条件。パサーを直接視野で見ながら、間接視野でマークしている相手のポジションを確認しよう。

POINT 2

ボールが出る瞬間に一歩前に出る

パサーがキックモーションに入って蹴る直前に、スッと前に出て、並んでいた選手をオフサイドポジションに置く。前に出るのが早すぎると読まれてしまうし、遅すぎると裏を取られる。

POINT 3

「オフサイド！」というセルフジャッジはしない

「オフサイド！」とレフェリーにアピールするために手を挙げるシーンはよくあるが、セルフジャッジをしてプレーを止めてしまうと、オフサイドじゃなかったときにカバーしようがない。

できないときは ココ

コツはパサーの動きを最後まで見ること。焦って前に出てしまう選手が多いので、ちょっと我慢しよう。

チェックしよう!

- □マークしている選手とパサーを同一視野に収められているか
- □パスが出る直前のタイミングでラインを上げているか
- □セルフジャッジでプレーを止めていないか

DFラインを高く保って裏の飛び出しを抑える

POINT
❶DFラインで連動してオフサイドにする
❷FWを自陣ゴールに向かわせる
相手FWと駆け引きをする
5
4
3
2
1
パス
ドリブル
人の動き

飛び出し型のFWをけん制する

ＤＦにとっては、ウルグアイ代表のスアレスのように本能的に裏を狙ってくるストライカーは非常に厄介な存在だ。ＤＦラインをウロウロして、パスが出た瞬間に飛び出してＧＫとの１対１に持ち込んでくるＦＷは、ＤＦの天敵といっていい。

そんな天敵を撃退するために効果的なのがオフサイドトラップを使ったＦＷとの駆け引きだ。「オフサイドになる」という意識を相手に植え付けさせ、飛び出しづらくさせる——。いわば「心理戦術」といえるだろう。

POINT 1 DFラインで連動してオフサイドにする

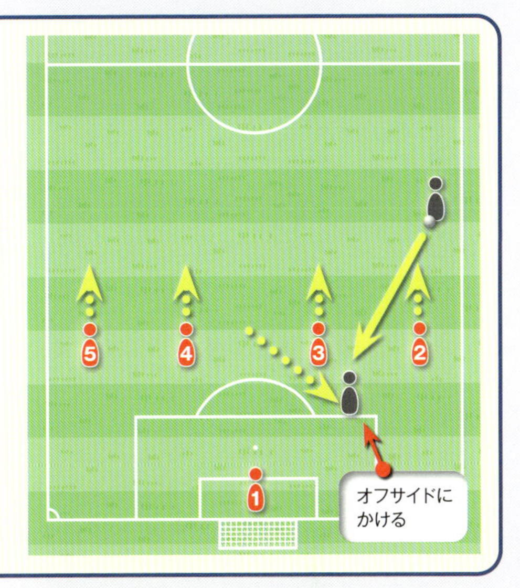

裏に飛び出そうとしてくる相手に対して、パスが出る瞬間にDFラインを押し上げ、オフサイドに引っ掛ける。このとき、ボールホルダーにプレッシャーをかけている選手は、パスコースを限定して、オフサイドに引っ掛けようとしているFWにパスを出させる。味方がプレスをかけられていないときは、1発で裏を取られてしまうので、オフサイドを狙いに行かないほうがいい。

POINT 2 FWを自陣ゴールに向かわせる

裏を狙おうとしたのにDFラインが上がるので、FWの選手は自陣ゴール方向に戻る。FWは飛び出せばオフサイドになるというイメージが刷り込まれているので、裏を狙ってゴールに向かうイメージを持ちづらくなる。自分主導ではなく、DFラインの上げ下げに合わせて動かなくてはならないので、FWとしてはゴールに向かう気持ちが削がれ、体力的にも消耗しやすくなる。

できないときは ココ

DFラインのリーダーの動きを他の選手が見て、それに合わせる形で動くとうまくいきやすい。

チェックしよう!

□ボールホルダーにしっかりプレスがかかっているか
□パスが出る直前に4人全員でDFラインを上げられるか

自分が動かなくてもボールは奪える

DFは全体を見渡せるポジションをとる

ＤＦにとって「声」は重要な能力。後方から全体を見渡せるＤＦの選手によるコーチングで、前で守っている選手がより良いポジションをとることができる。スムーズにボールを奪い取るために、的確なコーチングができるようになろう。

POINT

❶的確なコーチングでクサビのパスをカットする
❷周りをうまく使える選手が守りが上手な選手

POINT 1 的確なコーチングでクサビのパスをカットする

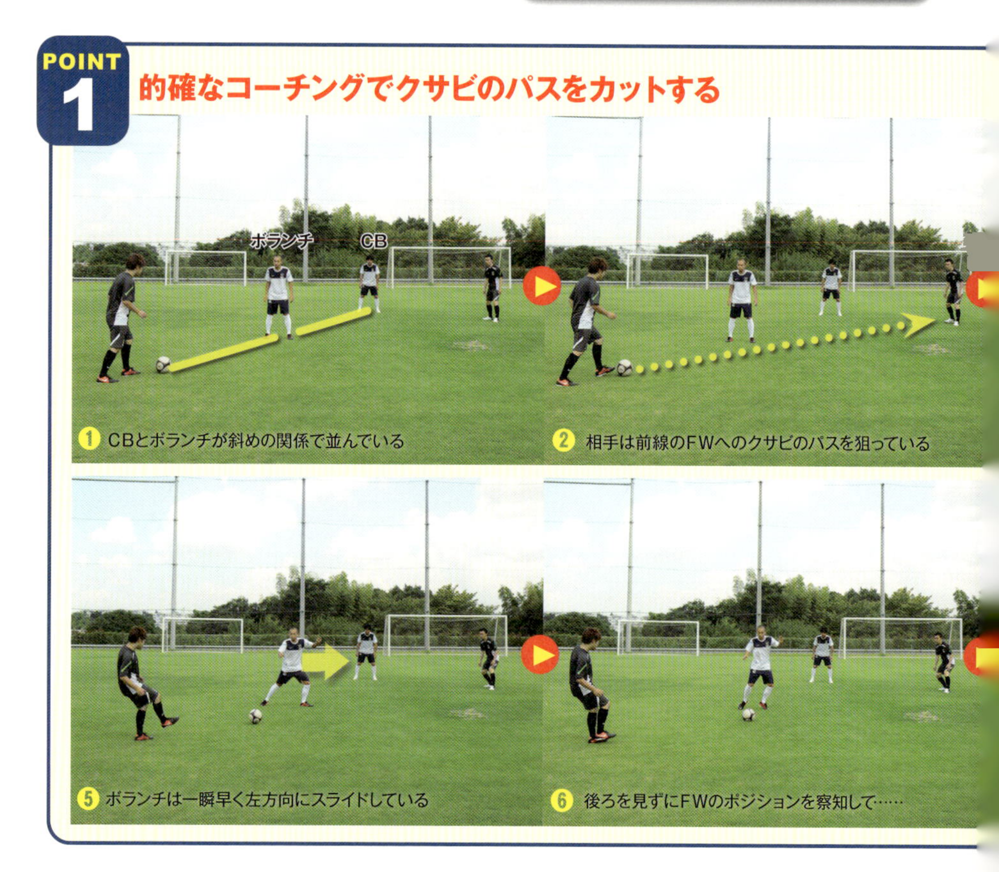

① CBとボランチが斜めの関係で並んでいる

② 相手は前線のFWへのクサビのパスを狙っている

⑤ ボランチは一瞬早く左方向にスライドしている

⑥ 後ろを見ずにFWのポジションを察知して……

POINT 2
周りをうまく使える選手が守りが上手な選手

コーチングをすることで味方を動かせば、極端に言えば自分が一歩も動かなくてもボールを奪うことが可能になる。ディフェンスが上手な選手というのは、1人で守るのではなく、周りをうまく使える選手だ。

できないときは ココ

ポジショニングなどのコーチングは難しくても、プレスに行ってほしいときは「行け！」と声を出そう。

チェックしよう!

- □どこで、どうやってボールを奪おうとしているのか
- □前方の選手のポジショニングは合っているか
- □どのタイミングで声を出せば、最も効果的なのか

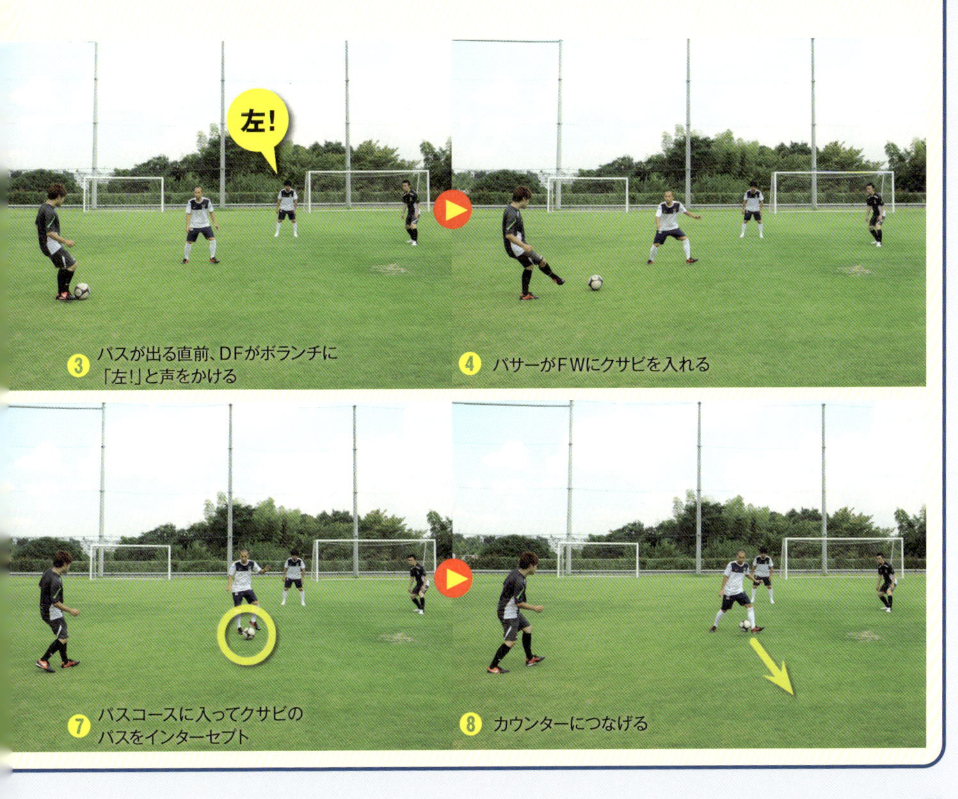

③ パスが出る直前、DFがボランチに「左!」と声をかける

④ パサーがFWにクサビを入れる

⑦ パスコースに入ってクサビのパスをインターセプト

⑧ カウンターにつなげる

サッカー用語集①

サッカーをする上で知っておくべき専門用語を紹介！

▶アーリークロス
相手陣地へ深く攻め込まずに上げるクロスボールのこと

▶アプローチ
ディフェンス時に自分がマークしている選手に対して、ボールが移動中や相手がボールを保持してから間合いを詰めること

▶インターセプト
相手のパスをボールが移動中に奪うこと

▶カウンター
自陣でボールを奪ったら、中盤を省略して前線の選手にボールを預けて、そのままシュートに持ち込むような攻撃方法

▶カバーリング
ピッチに生まれるスペースを埋めるプレー。守備で空いているスペースをカバーするなどと使う

▶クリア
敵の攻撃をはね返すために、キックやヘディングでボールをゴールから遠ざける技術のこと

▶ギャップ
ディフェンダーの選手同士の隙間、ズレのこと

▶サイドチェンジ
それまでボールがあったサイドから、逆のサイドへ攻撃を仕掛ける場所を変えること

▶サインプレー
特定の場面になったときの攻撃方法とその合図をチームや選手同士で決めておいて、それを実行するプレー

▶サポート
ボールを持つ味方を助けるための動きのこと。パスを受けられるポジションに動いたり、味方に自由にプレーするためのスペースを作ってあげる

▶サンド
ボールを持った相手選手を２人ではさみ込んでボールを奪ったり自由にプレーさせないテクニックのこと

▶視野の確保
よい判断のプレーをするために、周りを見て状況を確認すること。目線だけで周りを見るのではなく、広いエリアを見ることができる身体の向きを作ることが大切だ

▶ショルダーチャージ
ボールを持った相手選手に身体（肩）でぶつかりにいくプレー。ただし、手や腕を使ったり過度に激しいチャージはファウルになるので注意

▶スライディングタックル
相手選手が持っているボールを滑り込んで奪ったりクリアするプレーのこと

▶セットプレー
フリーキックやコーナーキック、スローイン、ゴールキックなど、リスタート（プレーの再開）のプレーのこと

PART 2

センターバックのコツ

現代サッカーではCBにもあらゆる要素が求められる

POINT

1. 相手のＦＷをマークし仕事をさせない
2. 競り合いながら空中戦で跳ね返す
3. ビルドアップの起点となる

チームの骨格となるポジション

センターバックは、チームのいわば「骨格」となるポジションだ。最大の役割はディフェンスで相手ＦＷをマークし、仕事をさせないこと。他のポジションに比べて空中戦で競り合うことも多く、ヘディングの強さも重要になる。

また、現代サッカーではセンターバックにも足下の技術が求められる。ビルドアップのスタート地点となるからだ。

ディフェンス、空中戦、ビルドアップ……。すべてを揃えているのが理想的なセンターバックといえる。

POINT 1

相手のＦＷをマークし仕事をさせない

ＣＢの最大の仕事が相手ＦＷに仕事をさせないこと。フィジカルの強さを武器にするタイプから、スピードやアジリティを活かしてインターセプトを狙っていくタイプなどがいる。

POINT 2

競り合いながら空中戦で跳ね返す

プレーヤーの中でも突出して空中戦の機会が多いのも、このポジションの特徴。ボールの落下地点を予測する空間認知能力や、競り合いながら跳ね返せるヘディングが求められる。

POINT 3

ビルドアップの起点となる

最終ラインからの組み立てではＣＢがスタート地点になる。現代サッカーではＣＢが落ち着いてパスをつないだり、ドリブルで運んだりするといったプレーが必要になる機会も多い。

できないときは

最初から完璧にプレーできる選手はいない。まずは基本となるディフェンスをしっかりとやろう。

チェックしよう!

- □ディフェンスでチームに安定感を与えているか
- □空中戦を制して跳ね返せているか
- □ビルドアップ時に攻撃の起点となっているか

相手とつかず離れずの距離感を保ってマークする

POINT
1. 手で軽く触って距離感を保つ
2. ユニフォームをつかむとファウルになる
3. 身体でホールドしてしまうのもファウルに

ゴール前でのファウルに注意する

センターバックにとって、最も多くあるのがゴールに背を向けた状態のＦＷをマークするシチュエーション。ＦＷがパスを受ける前の段階では、あまり食いつきすぎず、手を軽く伸ばしたぐらいの距離感を保つのが基本となる。

前を向かせたくないからといって、ガッチリとホールドしたり、ユニフォームをつかんだりするのはダメ。ＣＢがゴール前でファウルをすると直接ＦＫを与えてしまうし、ペナルティエリア内であればＰＫになってしまう。

POINT 1 手で軽く触って距離感を保つ

ゴールに背中を向けているＦＷは、手を軽く伸ばしたぐらいの距離を保つ。背中に手を添えているのは「ここにＤＦが立っている」と相手に教えて、振り向かせないようにするため。

POINT 2 ユニフォームをつかむとファウルになる

ありがちなファウルのパターンが、ユニフォームを引っ張るというもの。背中を押したりするのもファウルになる。ゴール前では一つのファウルが失点につながることも多いので気をつけよう。

POINT 3 身体でホールドしてしまうのもファウルに

これは厳しくファウルをとられることが多くなったプレー。コーナーキックのときは、このファウルからＰＫになる場面がたびたび見られる。無用なファウルをしないよう心掛けよう。

できないときは ココ

相手の真裏に立つと前方が見えなくなるので、半歩分、横にポジションをズラしてマークすること。

チェックしよう!

- □つかず離れずの距離感を保ってマークしているか
- □背中を押したりユニフォームをつかんだりしていないか
- □身体をくっつけすぎていないか

自分の行かせたいほうへ誘導してボールを奪う

あえて振り向かせてボール奪取

クサビのパスからのターンを得意とするタイプに対しては、あえて振り向かせたところを狙いたい。コツは相手に「自分でターンの方向を選んだ」と思わせること。相手がボールを運んだところに素早く回り込んで、ブロックしながら身体を入れよう。

POINT

1. ターンしたところを狙う
2. ファウルギリギリの"裏技"

POINT 1 ターンしたところを狙う

1 相手の右側に立ってマークしている

2 FWへのクサビのパスが入ってくる

5 ターンしてくる相手を腕でブロック

6 コースをふさいで相手を前に出させない

POINT 2

ファウルギリギリの“裏技”

ファウルをとられる可能性もあるが、ターンする瞬間に相手の身体を軽く押して、バランスを崩した状態にしておくと、よりボールを奪いやすくなる。あくまでも、さりげなく気づかれないようにするのがコツ。

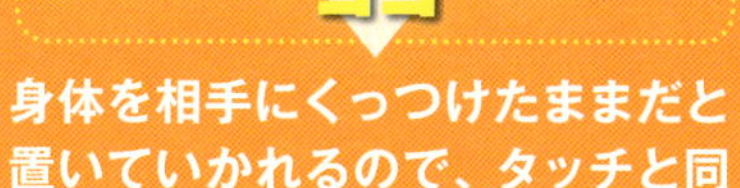

身体を相手にくっつけたままだと置いていかれるので、タッチと同時に身体を離して距離を作ること。

チェックしよう!

- □ターンする方向を限定することができているか
- □スピードに乗らせないようにブロックしているか
- □余裕を持った状態でマイボールにできているか

③ 振り向く瞬間に身体を離す

④ 相手が運んだボールに向かって行く

⑦ スピードダウンさせてから……

⑧ 身体を入れながらマイボールにする

バックパスを出させれば“勝ち”だと割り切る

強引に奪いに行くと入れ替わられる

ポスト型のタイプは身体を使ってキープしてくるので、まずはインターセプトを狙いたい。ボールが入ってから強引に奪いに行っても、入れ替わられる確率が高い。前を向かせないで、後ろに下げさせればいいという割り切りも必要になる。

POINT

❶相手を押し戻しバックパスを出させる
❷距離を空けて相手に背負わせない

POINT 1 相手を押し戻しバックパスを出させる

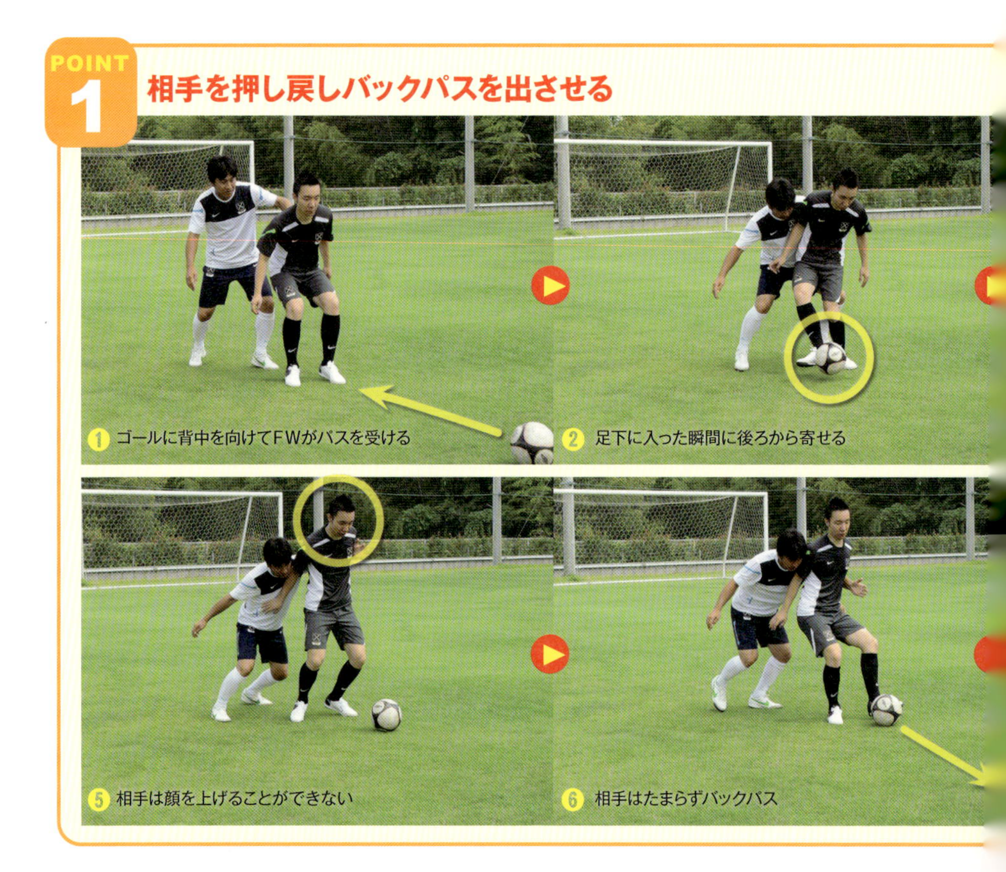

❶ ゴールに背中を向けてFWがパスを受ける

❷ 足下に入った瞬間に後ろから寄せる

❺ 相手は顔を上げることができない

❻ 相手はたまらずバックパス

POINT 2 距離を空けて相手に背負わせない

ポスト型は背後にＤＦがいるほうが、相手を軸にしたターンなどプレーの選択肢が増える。そのため、クサビのパスが出るまではわざと距離を空けて、背負った状態を作りたい相手FWに肩透かしを食らわせる。

できないときはココ

腰高の姿勢だと相手のパワーに負けてしまうので、腰をしっかりと落とし、低い姿勢にすること。

チェックしよう!

- □ボールが入った瞬間にしっかりとアプローチしているか
- □低い姿勢で相手に当たっているか
- □バックパスの後にポジション修正しているか

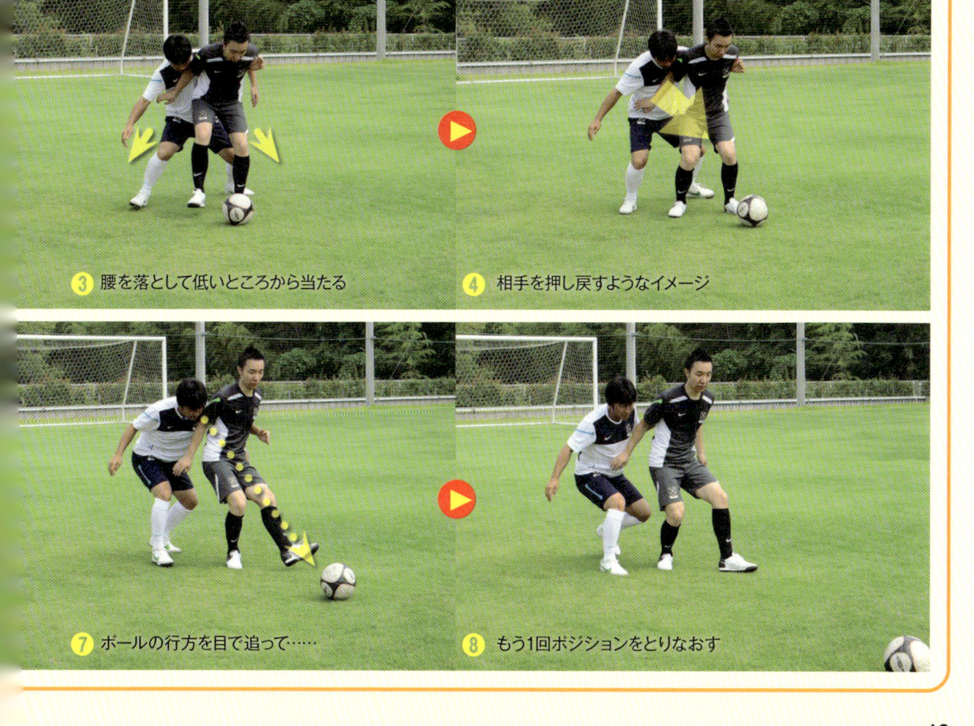

③ 腰を落として低いところから当たる

④ 相手を押し戻すようなイメージ

⑦ ボールの行方を目で追って……

⑧ もう1回ポジションをとりなおす

PART2 センターバックのコツ ■ スピード型のFWの止め方

相手がスピードに乗る前にコースを塞いで止める

ワンテンポ早く動き出して止める

ＤＦラインの裏を狙ってくるタイプに関しては、パスが出てから反応しても遅い。スルーパスが出ると読んだ時点で、相手よりもワンテンポ早く動き出して、先手を取る。ボールに触る前、もしくはワンタッチ目の段階で身体を入れて奪い取りたい。

POINT

1. **スピードに乗る前にボールを奪う**
2. **身体をぶつけるのはファウルになりやすい**

POINT 1 スピードに乗る前にボールを奪う

① FWが裏を狙っている

② パスが出る直前に動き始める

⑤ 相手との距離を詰めておく

⑥ 相手の進路に入ってスピードを止める

POINT 2 身体をぶつけるのはファウルになりやすい

相手が走り出す前に身体をぶつけてバランスを崩すというやり方をする選手もいるが、ボールがないところでのコンタクトプレーはイエローカードの対象になる。よほどのピンチの場面以外はやらないほうがいいだろう。

できないときは ココ

パサーがどこでボールを蹴るのかをしっかり見ておくこと。目線を早めに切らないようにしよう。

チェックしよう!

- □ボールとマークを同一視野に入れているか
- □相手の先手を取って動き出しているか
- □ボールに触られる前にカットしているか

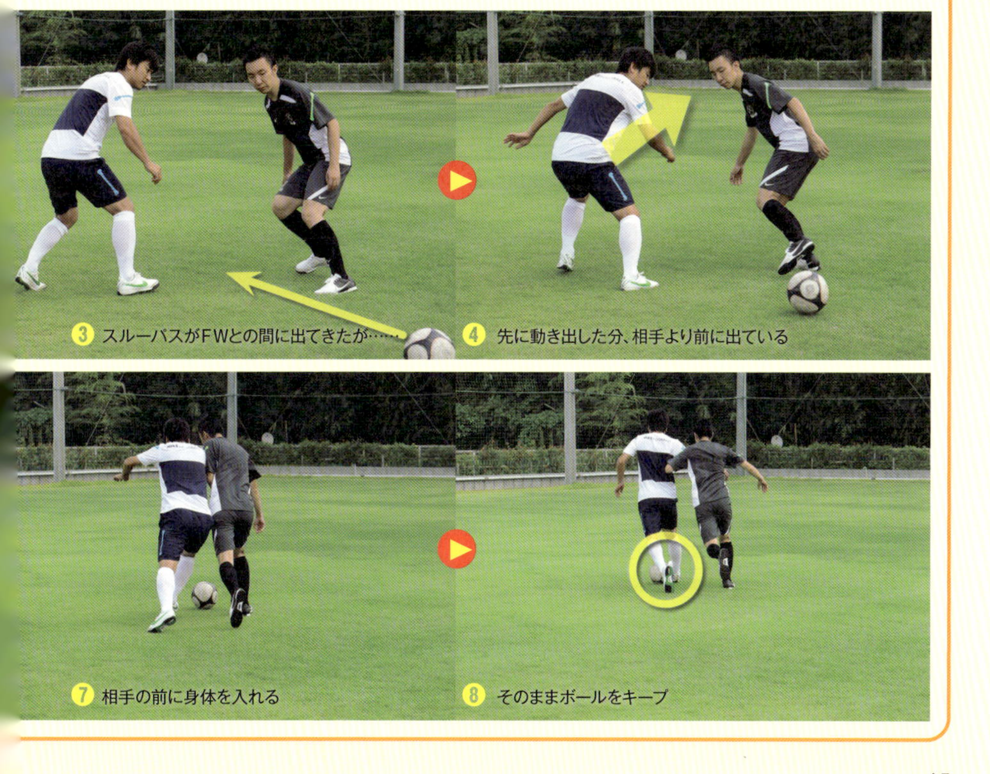

③ スルーパスがFWとの間に出てきたが……

④ 先に動き出した分、相手より前に出ている

⑦ 相手の前に身体を入れる

⑧ そのままボールをキープ

敵えてパスコースを空けて出したところを狙う

POINT
1. 顔が上がっているときは動かない
2. 顔を下げた瞬間に前に出る
3. インターセプトの雰囲気を出さない

パスを誘導する絶妙なポジショニング

攻撃側にとってＦＷへのクサビのパスは「甘い誘惑」だ。ましてや、ＦＷがフリーで待っていれば、そこに当てたくなるというもの。そんな攻撃心理を利用して、インターセプトを狙うというテクニック。

パスが出てくるまでは、インターセプトを狙っている雰囲気は出さずに相手を油断させて、パスが入った瞬間に前に出る。トップレベルでは、このような目に見えない駆け引きが常に行われている。相手をいかにだませるかも、優秀なセンターバックの条件なのだ。

POINT 1 顔が上がっているときは動かない

　このようにパサーの顔が上がっていて、パスコースを見る余裕がある状態でインターセプトをしようとすると、こちらの動きを察知されて、プレーを変えられてしまう可能性がある。

POINT 2 顔を下げた瞬間に前に出る

　パサーがクサビのコースがあることを確認し、パスを出そうと下を向いたところが、前に出るチャンス。下を向いてからボールを蹴るまでの時間はわずかなので、素早く動き出そう。

POINT 3 インターセプトの雰囲気を出さない

　ある程度ＦＷとの距離を空けておかなければ、相手に「パスを出せる」と思わせられない。自分のスピードやリーチを計算し、「ここまでなら間に合う」という位置にポジションをとる。

できないときは ココ

インターセプトを狙おうとしすぎると、相手に読まれてしまうので、ボーッと立っているのがコツ。

チェックしよう!

□パサーに「クサビを狙える」と思わせられているか
□相手の顔が下がったところで動き出しているか
□FWの前でボールをカットできているか

落下地点の少し後ろから勢いをつけて走り込む

POINT

1. FWよりも数歩下がる
2. 斜め後ろからボールを見る
3. 真下に入るとバランスを崩しやすい

ボールの落下地点を読むことがカギ

ヘディングではジャンプ力以上に空間認知能力が大きなウェイトを占める。どんなに背が高くても、ボールの落下地点を正しく予測できなければ、10センチ以上も身長が低い相手に競り負けることもある。

だからといって、落下地点に最初から入っていれば自動的にヘディングに勝てるわけではない。落下地点を読んだら、それよりも数歩後ろに下がって、助走の勢いをつけてジャンプする。相手との空中における駆け引きを制することがヘディング勝利のカギとなる。

POINT 1
FWよりも数歩下がる

ロングボールが飛んできそうなときは、あらかじめFWよりも数歩後ろに下がって構える。このポジションならボールが前に飛んできても、後ろに飛んできても、素早く修正できる。

POINT 2
斜め後ろからボールを見る

空中戦のポジショニングも、通常のマークと同様にFWの斜め後ろに入る。真後ろに入ると、ボールが向かってくるときに、FWと重なって見づらいことがあるので、オススメしない。

POINT 3
真下に入るとバランスを崩しやすい

素早くボールの落下地点を読んだとしても、真下には入らないほうがいい。その場でのスタンディングジャンプになるため、空中で相手にぶつかられたときバランスを崩しやすい。

できないときはココ

空間認知能力を身につけるには、野球で高く上がったフライをキャッチする練習が効果的なのでやってみよう。

チェックしよう！

- □ロングボールの落下地点を素早く読んでいるか
- □ジャンプの助走をするためのスペースを作っているか

跳ね返すヘディングと近くに落とすヘディング

クリアではなくパスにする

ヘディングはクリアするだけなく、できればパスにするという意識を持ちたい。前方にスペースがあれば首のスナップを使って大きく跳ね返し、近くにフリーの味方がいれば、インパクトのポイントをズラして叩き落として味方につなげる。

POINT

1. 狙いによってヘディングの軌道を変える
2. フリーでのヘディングは必ずパスにする

POINT 1 狙いによってヘディングの軌道を変える

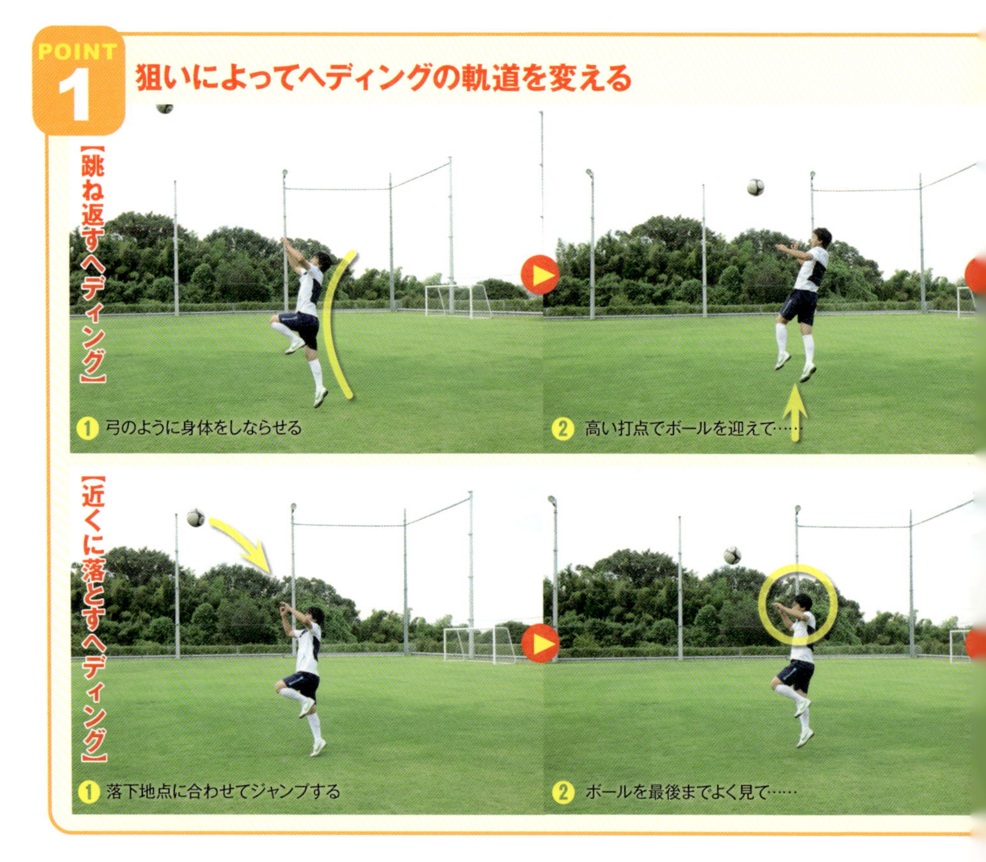

【跳ね返すヘディング】

1 弓のように身体をしならせる

2 高い打点でボールを迎えて……

【近くに落とすヘディング】

1 落下地点に合わせてジャンプする

2 ボールを最後までよく見て……

POINT 2

フリーでのヘディングは必ずパスにする

相手と競り合った状態では、狙ったところに飛ばせないのは仕方ないが、フリーでヘディングするときはジャンプする前に周囲の状況を見ておいて、どこのスペースに飛ばすかを決めて、必ずパスにしよう。

できないときはココ

インパクトの瞬間はボールをしっかりと見ることが大事なので、ジャンプする前にプレーを決めておこう。

チェックしよう!

- □高い打点でボールをとらえて遠くに飛ばせているか
- □ボールを近くに落としてパスにできているか
- □ヘディングをする前に何をするか考えているか

③ 身体全体でボールを前に押し出す

④ 放物線を描いて飛んでいく

③ インパクトの瞬間にアゴを引く

④ 近くのスペースに落とす

正しい位置でとらえて しっかりボールを飛ばす

POINT

❶用途によって上下左右に打ち分ける
❷最後までボールから目を離さない
❸首のスナップを利かせる

インパクトはおでこより少し上あたり

ヘディングのインパクトは一般的に「おでこに当てる」と言われるが、実際には「おでこの中心よりも少し上」のほうがボールを遠くに飛ばせる。

ただし、ボールを飛ばす必要がない、近くの味方にパスをしたいときなどは、おでこでインパクトする。

インパクトの際に大事なのはボールから最後まで目を離さないこと。ボールを見ていないとインパクトのポイントがズレてしまい、思った通りのところに飛ばすことができない。

POINT 1 用途によって上下左右に打ち分ける

写真のように、インパクトのポイントはヘディングの用途によって使い分けよう。飛ばしたいときはおでこより上、叩きつけるときはおでこ、左右に飛ばすときはこめかみ付近に当てる。

POINT 2 最後までボールから目を離さない

正確にインパクトするためのコツは、最後までボールから目を離さないこと。ヘディングが苦手な選手の多くが、インパクトよりもかなり前にボールから目を離してしまっている。

POINT 3 首のスナップを利かせる

ただボールに当てるだけでは、十分にパワーが出せない。インパクト前はパワーを溜めるイメージで身体をしならせて、インパクト後は首のスナップを利かせながらパワーを加えよう。

できないときは ココ

ヘディングは練習回数に比例する技術なので、練習中に何度も繰り返しやることでうまくなっていく。

チェックしよう!

- □インパクトのポイントで上下左右に打ち分けられているか
- □ボールを最後までしっかりと見ているか
- □当てるだけじゃなく身体全体で押し出しているか

相手のジャンプを利用して飛び競り勝つ

背の高い相手は正攻法では勝てない

自分よりも身長が高い、もしくはジャンプ力のある選手と競り合うときは、正攻法で勝つのは難しい。しかし、相手よりも先に飛んでから、ジャンプした相手の上に肩を乗せるといった工夫をすれば、空中戦で強い相手にも競り勝つことができる。

POINT

❶相手の肩に乗りながら飛ぶ
❷あからさまに乗っかるとファウルに

POINT 1 相手の肩に乗りながら飛ぶ

❶ ボールの落下地点に相手が入っている

❷ 飛ぶ前にヒザを曲げて……

❺ 相手はジャンプできない

❻ 相手よりも頭一つ抜けている

POINT 2 あからさまに乗っかるとファウルに

肩の上に乗るのはＤＦが競り勝つためによくやる方法だが、あからさまに肩の上に乗っかるとファウルをとられてしまう。ペナルティエリア内ではＰＫになってしまうので気をつけよう。

できないときはココ

ジャンプのタイミングが速すぎると、ボールの落下に合わないので、通常よりも少し早い程度でオッケーだ。

チェックしよう!

- □ボールの落下地点をしっかりと見極められているか
- □相手がジャンプする前に先に飛んでいるか
- □空中で相手のジャンプ力を利用できているか

③ 相手よりも先に飛ぶ

④ 相手の肩の上に手を乗せる

⑦ 高い打点でボールをとらえる

⑧ 自分より強い相手との空中戦を制する

コツ
31

GKと連携してシュートを止める

POINT
❶ゴールとボールを結んだライン上に立つ
❷GKのブラインドにならないように
❸足下のコースをブロックする

ゴールを守ることが第一と考える

ディフェンスの目的は相手との勝負に勝つことではなく、あくまでもゴールを守ること。１対１に勝とうとする気持ちは大事だが、熱くなってしまうとチーム全体に迷惑がかかってしまう。

ゴール前でよくあるのがシュートを止めに行こうとして飛び込んでかわされて、ゴールキーパーとの１対１になってしまうこと。ゴール前では１人の力で止めようとするのではなく、シュートコースを限定し、最後はゴールキーパーに任せるという守り方も覚えておきたい。

POINT 1 ゴールとボールを結んだライン上に立つ

ボールを持った相手とゴールを結んだライン上にポジショニングする。ただし、シューターとの距離を空けすぎると、ミドルシュートを打たれてしまうので気をつけよう。

POINT 2 GKのブラインドにならないように

ゴール前ではＤＦがブラインドになって（重なって）、ＧＫからはボールが見えづらい。特に股を抜けてボールが飛んできたらＧＫは反応が遅れるので、失点の原因になりやすい。

POINT 3 足下のコースをブロックする

シュート体勢に入ったら、身体をしっかり寄せながら、ボールの前に足を出して足下のコースを消す。ＤＦが寄せることでＧＫはシュートコースを限定できて、止めやすくなる。

できないときは

試合前にGKの選手と、上に打たれたときはGKが責任を持って止めるなどの決め事を作っておこう。

チェックしよう!

□ブラインドになりやすいコースを消しているか
□GKがシュートコースを読みやすいように寄せているか

CBからのパスが攻撃の1歩目になる

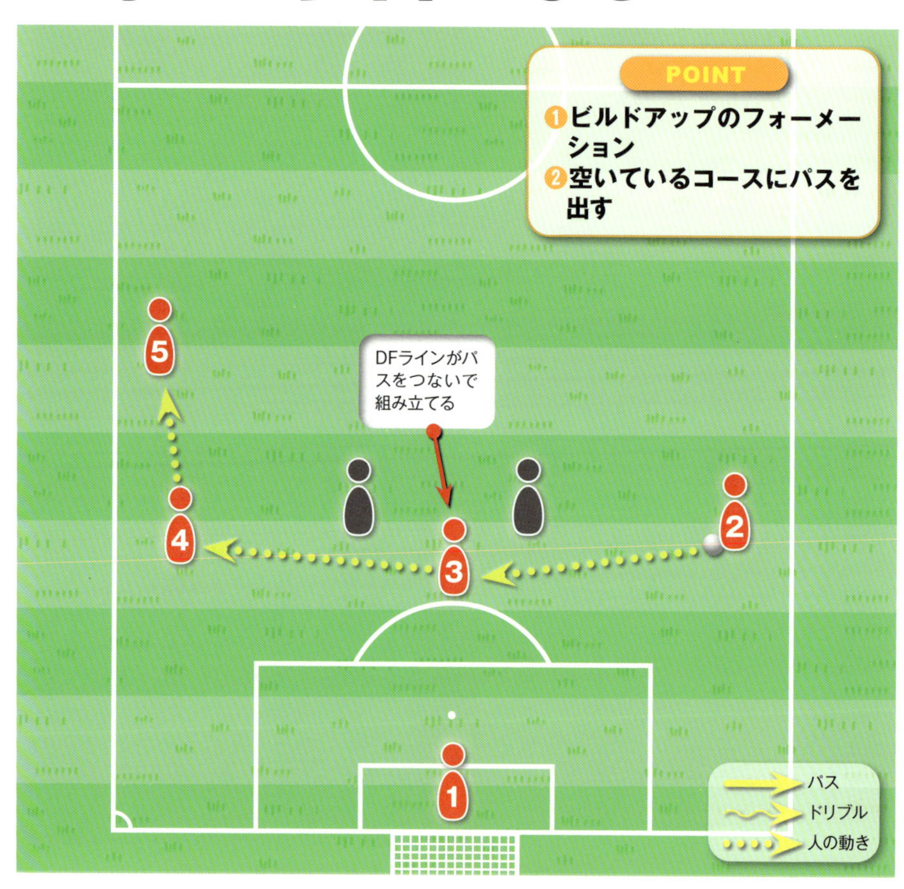
POINT
①ビルドアップのフォーメーション
②空いているコースにパスを出す
DFラインがパスをつないで組み立てる
1
2
3
4
5
パス
ドリブル
人の動き

サイドバックの位置を押し上げる

ポゼッション型のチームでは、センターバックの選手にパスをつないで組み立てるビルドアップ能力が求められる。センターバックにゲームを作れる選手がいれば、チームにとっては大きい。

ビルドアップ時は４バックのチームでも、３バックでパスを回すのがおすすめだ。ＤＦラインの人数を減らし、サイドバックを高い位置に押し上げることで、人数をかけた攻撃ができる。マイボールになったらスムーズにビルドアップのフォーメーションに変化させよう。

POINT 1 ビルドアップのフォーメーション

中央のセンターバックのどちらかがボールを持ったら、もう１人のセンターバックとボールサイドのサイドバックが大きく開いて、ボールと反対サイドのサイドバックが高い位置をとる。ＤＦラインが３人だとパス交換の距離が広がり、相手からプレッシャーを受けづらくなる。また、サイドバックを高い位置に押し上げることで、攻撃時の人数を増やせるのもメリットだ。

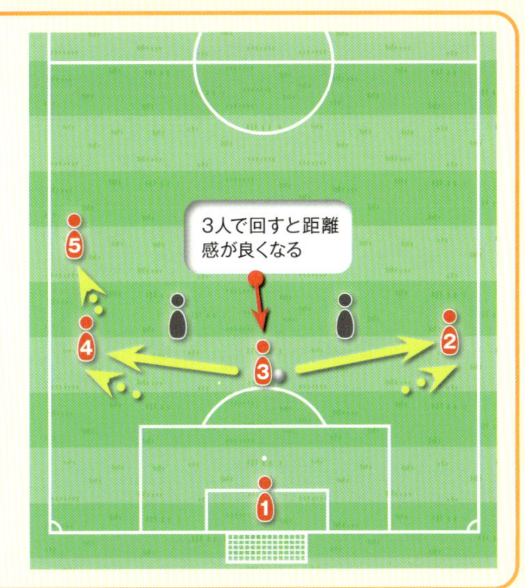
3人で回すと距離
感が良くなる
5
4
3
2
1

POINT 2 空いているコースにパスを出す

真ん中のセンターバックがボールを持っているとき、相手FWが両サイドの選手にプレッシャーをかけてきたら、一列前のボランチに縦パスを通す。パスを出したら、リターンを受けやすいポジションへ移動しよう。センターバックは、相手が来ているときは「来てる！」、来ていないときは「フリー」と声をかけてあげよう。それによってボランチは迷わずにプレーできる。

中央が空いてから
ボランチにパス
5
6
4
3
2
1

できないときは ココ

ビルドアップのパスは特別な技術が必要なわけではないので、自信を持ってプレーしてみよう。

チェックしよう!

- □スムーズにビルドアップのシステムに変化しているか
- □フリーの選手を見つけてパスしているか
- □前方の選手にパスを出すときにマークの有無を教えているか

コツ 33 PART2 センターバックのコツ ■ ビルドアップ時のサポート

バックステップでパスを受けられる角度を作る

サポートの気持ちを常に持とう

最終ラインで短い距離のパスをつなぐときは、パスを出した選手はバックステップで後ろに下がって、パスを受けられる角度を作るのがセオリー。本当にちょっとしたことだが、これをサボると失点に直結する可能性もあるので覚えておきたい。

POINT
❶バックステップでパスを受ける
❷足を止めるとプレスの餌食になる

POINT 1 バックステップでパスを受ける

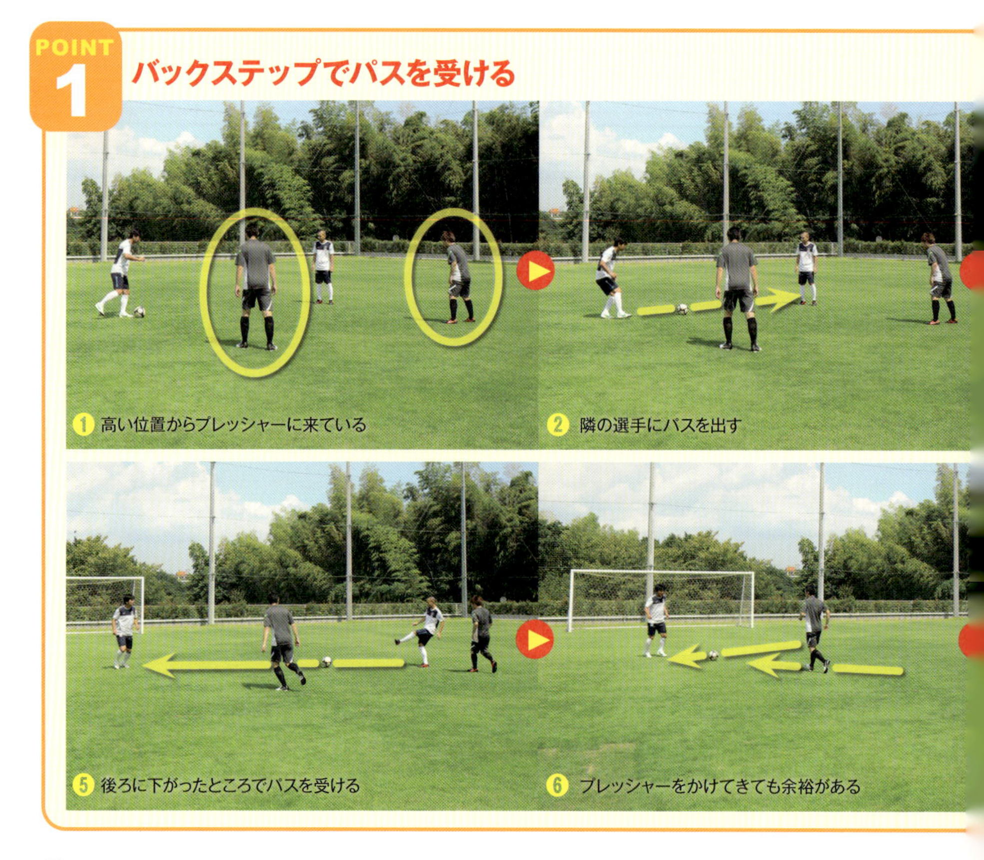

① 高い位置からプレッシャーに来ている

② 隣の選手にパスを出す

⑤ 後ろに下がったところでパスを受ける

⑥ プレッシャーをかけてきても余裕がある

POINT 2 足を止めると プレスの餌食になる

パスを出した後に足を止めていると、前からプレスをかけにくる相手の餌食になってしまう。最終ラインでは一つのボールロストが失点につながるので、ちょっとしたプレーをサボらないようにすること。

できないときは ココ

バックステップがスムーズにできないとコントロールに影響がでるので、アップなどでやっておこう。

チェックしよう!

- □パスを出した後に受けやすい角度を作っているか
- □スムーズにバックステップができているか
- □相手のいないスペースにボールを運んでいるか

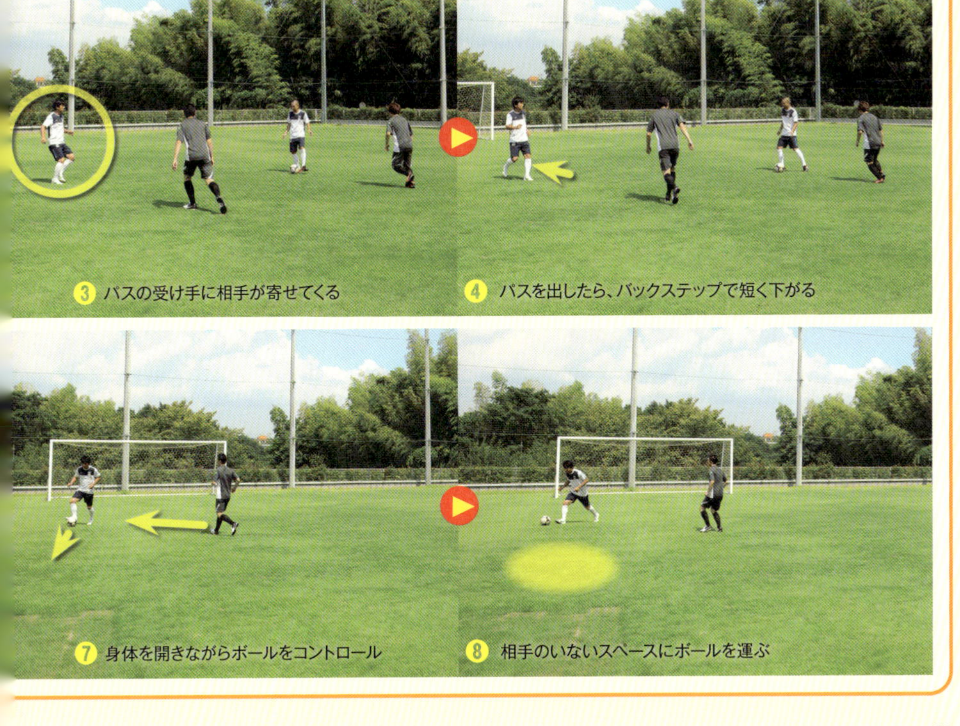

③ パスの受け手に相手が寄せてくる

④ パスを出したら、バックステップで短く下がる

⑦ 身体を開きながらボールをコントロール

⑧ 相手のいないスペースにボールを運ぶ

コツ 34 PART2 センターバックのコツ ■ 至近距離でかわす

相手との距離が近くても慌てずにかわす

大きく蹴り出さず攻撃につなげる

最終ラインは比較的プレッシャーが少ないが、それでも、相手を至近距離でかわさなければいけないシチュエーションはある。そんなとき、簡単にボールを蹴り出すのではなく、プレスをかわすテクニックを持っておけば、攻撃につなげられる。

POINT

1. 巧みなコントロールで相手のプレスをかわす
2. 足下にピッタリとボールを止めない

POINT 1 巧みなコントロールで相手のプレスをかわす

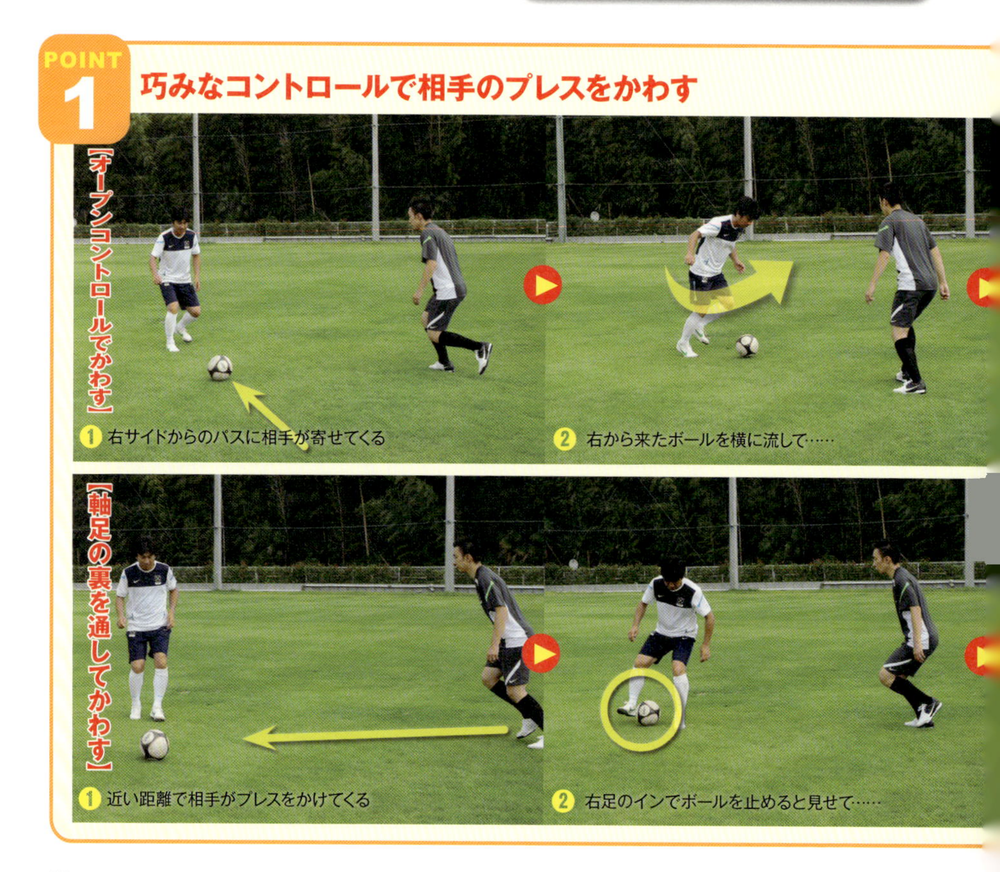

【オープンコントロールでかわす】

① 右サイドからのパスに相手が寄せてくる

② 右から来たボールを横に流して……

【軸足の裏を通してかわす】

① 近い距離で相手がプレスをかけてくる

② 右足のインでボールを止めると見せて……

POINT 2
足下にピッタリとボールを止めない

相手が寄せているのに、ボールを足下にピタッと止めるのはダメ。技術に自信がないときは、せめて大きく蹴り出そう。最終ラインにはそれぐらいの責任が求められる。

できないときはココ

ボールを受けるときの身体の角度によって、2つのうちのどちらのプレーをするかを選択しよう。

チェックしよう!

- □相手のプレッシャーをしっかりと確認しているか
- □ファーストタッチで思った場所に運んでいるか
- □プレスの状況や身体の角度でプレーを変えられるか

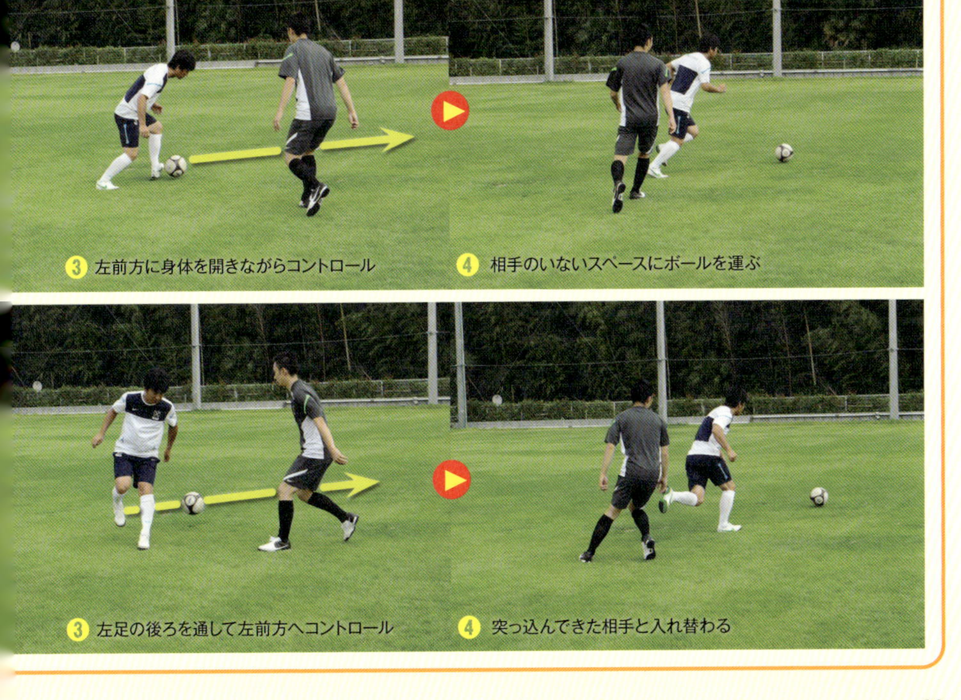

③ 左前方に身体を開きながらコントロール

④ 相手のいないスペースにボールを運ぶ

③ 左足の後ろを通して左前方へコントロール

④ 突っ込んできた相手と入れ替わる

コツ 35 PARAGRAPH

ドリブルで引きつけて味方をフリーにする

「1対2」の状況を作る

相手がボールを持っているのに寄せてこないときは、ドリブルで運んでいこう。ポイントは相手の間にボールを持ち出して、1対2の状況を作ること。2人を引きつけてからパスを出すことで、他の選手がフリーでボールを受けやすくなる。

POINT

1. **最終ラインからドリブルで運び相手を引きつける**
2. **突破のドリブルで仕掛ける必要はない**

POINT 1 最終ラインからドリブルで運び相手を引きつける

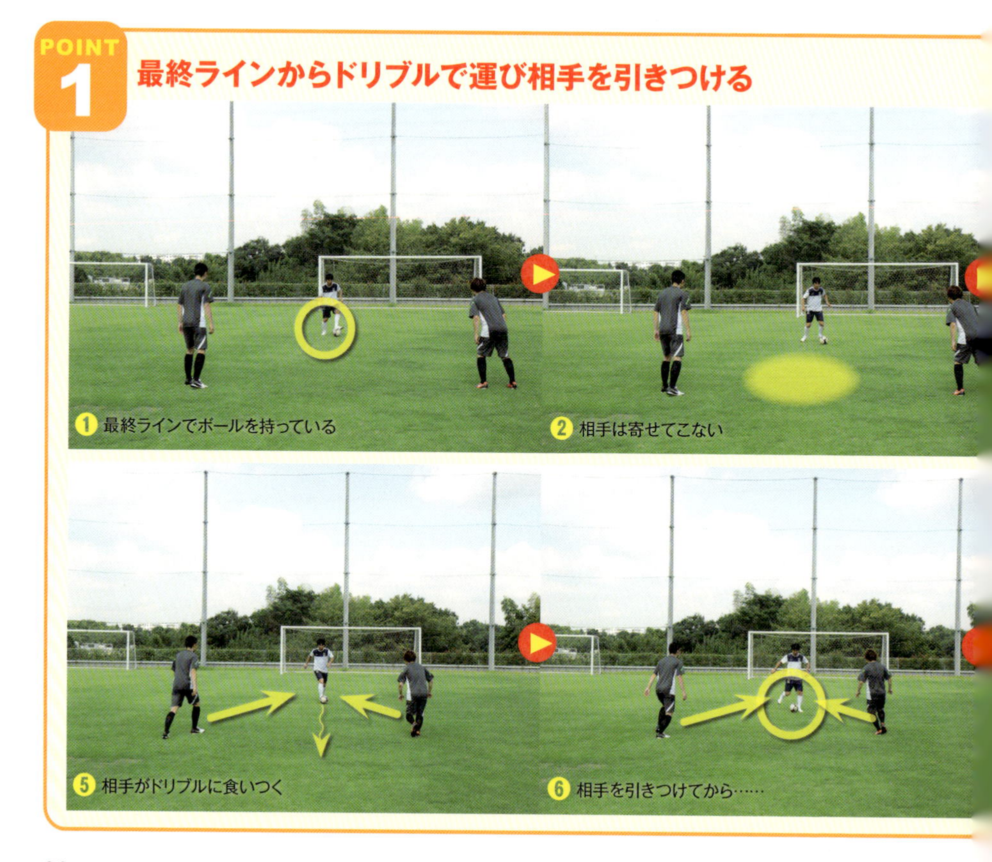

1 最終ラインでボールを持っている

2 相手は寄せてこない

5 相手がドリブルに食いつく

6 相手を引きつけてから……

POINT 2

突破のドリブルで仕掛ける必要はない

ドリブルには「突破のドリブル」と「運ぶドリブル」の2種類がある。最終ラインでは相手を引きつけて味方をフリーにすることが目的なので、相手をかわすためにフェイントを仕掛ける必要はない。

できないときはココ

ドリブル中に顔が下がっていると相手との距離がうまく計れないので、顔を上げてドリブルしよう。

チェックしよう!

- □相手の寄せの状態を見極めることができているか
- □相手2人の間にボールを運ぶことができているか
- □十分に引きつけてからパスをしているか

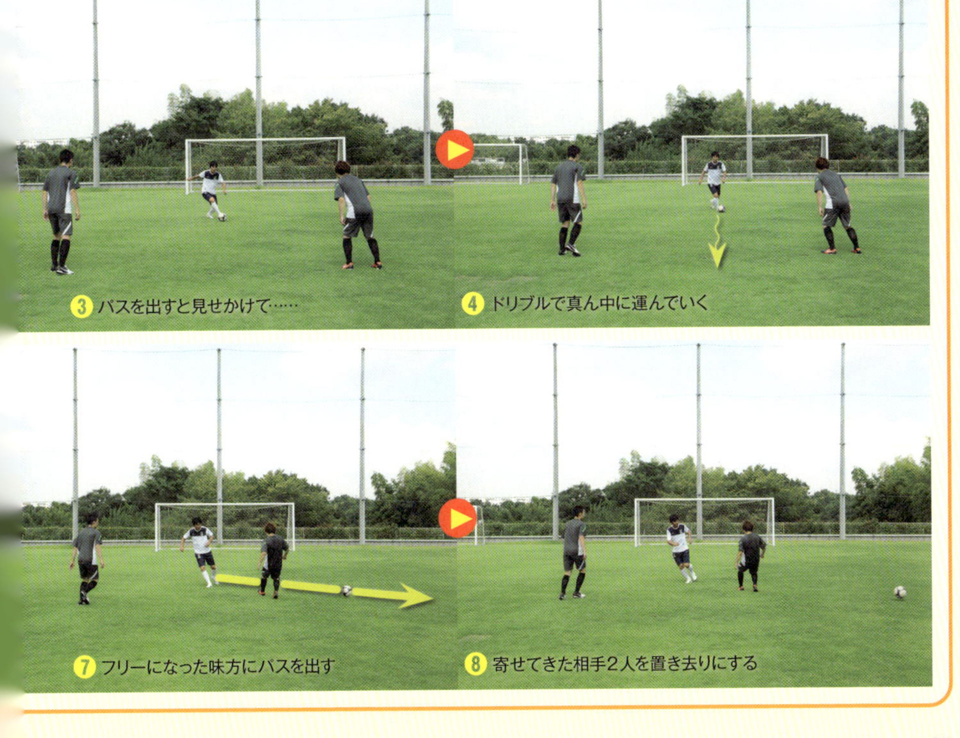

③ パスを出すと見せかけて……

④ ドリブルで真ん中に運んでいく

⑦ フリーになった味方にパスを出す

⑧ 寄せてきた相手2人を置き去りにする

サッカー用語集②

サッカーをする上で知っておくべき専門用語を紹介！

▶チェイシング
ボールを追いかけるようなディフェンスをして、相手にプレッシャーをかける方法

▶チャレンジ&カバー
1人の選手がボールを持っている相手選手にプレッシャーをかけ（チェック）、その動きで空いたスペースを別の選手がカバーすること

▶ディレイ
シュートに直結するようなパスやドリブルをさせないようにして、攻撃を遅らせること

▶バイタルエリア
ペナルティエリアの横のラインの少し外側の区域

▶ビルドアップ
相手守備陣が整っている状態で、味方の最終ラインからパスを回して攻撃を組み立てていくこと

▶ファーストタッチ
パスを受けるときの最初のボールタッチ。このタッチでどこにボールを止めるか、どんなプレーをするかでスムーズに次のプレーに移れるかが決まる

▶プレスバック
ボールを持っている選手よりも前方にいる選手が戻ってプレスをかけること

▶プレッシング（プレス）
ボールを持っている選手に対して、複数のディフェンダーで囲み込んでボールを奪おうとすること

▶ボールウォッチャー
相手選手の動きやプレーに対応できず、ボールをただ見てるだけの状況になってしまった選手のこと

▶ボールコントロール
飛んできたボールを止める技術のこと。ただ足元に止めるのではなく、次のプレーを考えてどこにコントロールするのかを考えることが大切だ

▶マーク
敵のいる位置にポジションをとり、自由にプレーさせないようにすること

▶マンマーク
特定の相手選手を常にマークしている状態のこと。優れた相手選手を自由にプレーさせないための戦術で使う

▶ルーズボール
味方と敵、どちらのチームもキープしていないボールの状態。ボールをクリアしたときや競り合いの後にこの状況になる

▶ワンサイドカット
ボールを持っている選手の進行方向を一方向に限定するプレーのこと

PART 3

サイドバックのコツ

攻撃型から守備型まで プレースタイルは十人十色

POINT
❶スピードが求められるサイドでのディフェンス
❷ビルドアップで前線へフィードする
❸果敢なオーバーラップで攻撃参加する

FW出身のSBも増えている

サイドバックは選手によって個性が異なる。ディフェンスに強みがある選手もいれば、攻撃参加を得意とする選手や、正確なクロスが持ち味の選手もいる。攻撃の起点として後方からゲームを組み立てるタイプもいる。

現代サッカーではサイドバックに求められる役割は多様化しており、チームの戦術によっても変わってくる。サイドバックに積極的な攻撃参加を求めるチームでは、攻撃力を買われてＦＷの選手がコンバートされることも珍しくない。

POINT 1 スピードが求められるサイドでのディフェンス

ディフェンス面では、サイドでの１対１やスルーパスの対応など、スピードが求められるシーンが多い。逆サイドからのクロスでは中に絞って“もう１人のＣＢ”として相手をマークする。

POINT 2 ビルドアップで前線へフィードする

ビルドアップのとき、サイドバックは前線へパスを送る供給源になる。センターバックやボランチに比べて、前を向いた状態でプレーしやすいので、ここで攻撃の起点を作れると心強い。

POINT 3 果敢なオーバーラップで攻撃参加する

攻撃時には高い位置まで攻め上がり、味方選手からのスルーパスやワンツーを受けてゴール前にクロスを入れるのもサイドバックの役割。ＦＷ並みの攻撃力を持っている選手も多い。

できないときは

マッチアップする相手に合わせようとすると消極的になってしまうので、自分主体でプレーしていこう。

チェックしよう!

□1対1やクロスなどを防いでいるか
□攻撃の起点となっているか
□オーバーラップで攻撃参加しているか

ボールの位置によって細かくポジションチェンジ

POINT

❶同サイドにボールがあれば同一視野を意識する
❷中央にボールがあれば中を絞ってケアする
❸逆サイドにボールがあれば絞ってゴール前をケア

3つのパターンを覚える

ディフェンス時のサイドバックのポジショニングは、ボールのある位置によって変わる。

ボールが同サイドにあればマーカーを見ながらインターセプトを狙っていく。中央にあるときはセンターバックとの間のスルーパスをケアするために、マークするサイドの選手とは距離を若干空ける。逆サイドにあるときはセンターバックのカバーリングをするために中に絞る。

3つのパターンのポジショニングを覚えながらディフェンスしよう。

POINT 1

同サイドにボールがあれば同一視野を意識する

ボールが自分のサイドにあるときは、マークする相手に身体を向けつつ、ボールと相手を同一視野におさめる。相手との距離は2～3メートルぐらいで、積極的にインターセプトを狙う。

POINT 2

中央にボールがあれば中を絞ってケアする

中央で相手がボールを持っている時は、センターバックとの間にスルーパスを通される確率があるので、中に絞ってケアをする。サイドの選手とは若干距離を空けたポジションをとる。

POINT 3

逆サイドにボールがあれば絞ってゴール前をケア

逆サイドにボールがあるときは、クロスが入ってきたときにゴール前をケアするため、中に絞る。サイドの選手を見られないが、サイドチェンジをされても距離があるので十分追いつける。

できないときは

ボールに気を取られすぎると、マークを見失うこともあるので、適度に首を振って周りを見よう。

チェックしよう!

- □同サイドにボールがあるときはマーカーを見ているか
- □逆サイドにボールがあるときは中に絞っているか

相手を縦に追い込んでボールを奪う

POINT
❶サイドでの1対1の基本姿勢は中切り
❷相手に背中を見せるとピンチを招く
❸縦に持ち出したら身体を寄せる

1対1を制するチームが勝つ

サイドバックのディフェンスで最も大きなウェイトを占めるのが、相手のサイドの選手との1対1。サイドでの1対1のセオリーは、相手を狭いほうに誘い込んでボールを奪うこと。ただし、相手の利き足やプレースタイルによって、セオリーとはあえて逆のことをやる場合も出てくる。

サイドアタックは現代サッカーにおけるメイン戦術の一つだけに、サイドの攻防を制することによってチームにもたらされるメリットは計り知れないといっていいだろう。

POINT 1

サイドでの1対1の基本姿勢は中切り

サイドで１対１になったときの基本姿勢は、相手に身体を向けながら、中央へのコースをカットする、いわゆる「中切り」。スピードがある選手のときは、６：４で縦に重心を置く。

POINT 2

相手に背中を見せるとピンチを招く

縦への突破を警戒するあまり、写真のように相手に背中を見せるような格好になってしまうと、中央にボールを運ばれたときに反転するのに時間がかかるので、ピンチを招きやすい。

POINT 3

縦に持ち出したら身体を寄せる

相手を縦に行かせるようにし、ボールを持ち出したところで身体を寄せてボールを奪い取る。相手が大きくボールを蹴り出したときは、スライディングでクリアするのも選択肢の一つ。

できないときはココ

相手が突破しようとした瞬間を見逃さずに身体を寄せよう。初動で遅れが出ると不利になりやすい。

チェックしよう!

□内側のコースに立つ「中切り」ができているか

□狭いところに追い込んで身体を寄せているか

相手のタイプを見極めて守り方を変える

POINT

❶テクニックがある相手には利き足の前に立ち寄せる
❷スピードがある相手には飛び込まず距離を空ける
❸カットインする相手には身体を寄せていく

相手のストロングポイントを消す

サイドアタッカーには様々なタイプの選手がいる。試合中に「この選手はスピードがある」とか「足は遅いけどテクニックはある」といった特徴をつかんで、ストロングポイントを消すための守り方をすることが求められる。

ディフェンス面で最もやってはいけないのは、簡単に飛び込んでしまう、いわゆる「軽い」プレーだ。特に、サイドバックがかわされると、相手に高い位置までボールを持って行かれてしまう。責任を持ったプレーをしよう。

POINT 1

テクニックがある相手には利き足の前に立ち寄せる

テクニック型がフェイントをかけてくるときは、基本的に利き足でボールをコントロールする。このようなタイプは利き足の前に立って寄せれば、自由にプレーできなくなる。

POINT 2

スピードがある相手には飛び込まず距離を空ける

スピードがある相手選手には、あえて飛び込まずに距離を空けて、相手に「考えさせる」時間を作ることが効果的。こちらから飛び込んでしまうと、一気にスピードでかわされてしまう。

POINT 3

カットインする相手には身体を寄せていく

サイドから中に入ってくる相手に対しては、最も危険なシュートコースを切りながら寄せていく。相手が入ってきたところで身体を寄せて行き、プレーの選択肢を封じる。

初めて試合をする相手は情報がないので最初はわからない。試合中に相手のプレーをよく観察しよう。

チェックしよう!

□相手のプレースタイルを試合中に見極めているか
□相手に合わせて柔軟に守り方を変えられているか

コツ 40 PARAMETER_PLACEHOLDER

数的不利な状況のときはむやみに飛び込まない

6:4で縦に重心を置く

サイドでボールを持った選手と、外から走ってくる選手との「1対2」になった状況。ボールを持った選手のドリブルをケアしながら、6：4の割合で縦に重心を置く。スペースにパスを出させて、相手よりも先に動き出してカットを狙うのがコツだ。

POINT

❶わざとスペースにパスを出させる
❷攻め上がりを利用したカットインをケアする

POINT 1 わざとスペースにパスを出させる

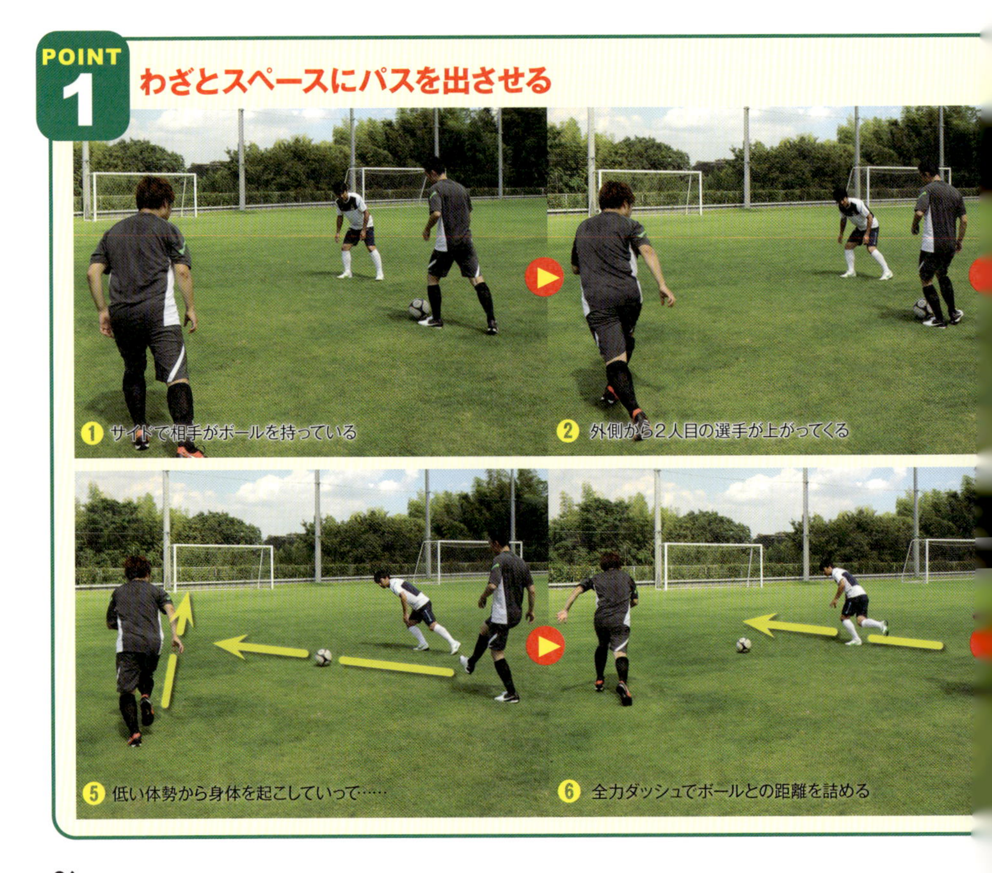

❶ サイドで相手がボールを持っている

❷ 外側から2人目の選手が上がってくる

❺ 低い体勢から身体を起こしていって……

❻ 全力ダッシュでボールとの距離を詰める

POINT 2 攻め上がりを利用したカットインをケアする

1対2の数的不利の状況では、オーバーラップした味方を使うと見せかけて、中に切り返してくる可能性も大いにある。カバーリングがいないときは、中に行かせないように内側のコースに立ってケアする。

できないときはココ

まずはボールを持った相手にかわされないように守りながら、パスが出たら2人目に切り替えること。

チェックしよう!

□数的不利の状況でも慌てずに状況判断できるか
□中に入られないように内側のコースを切っているか

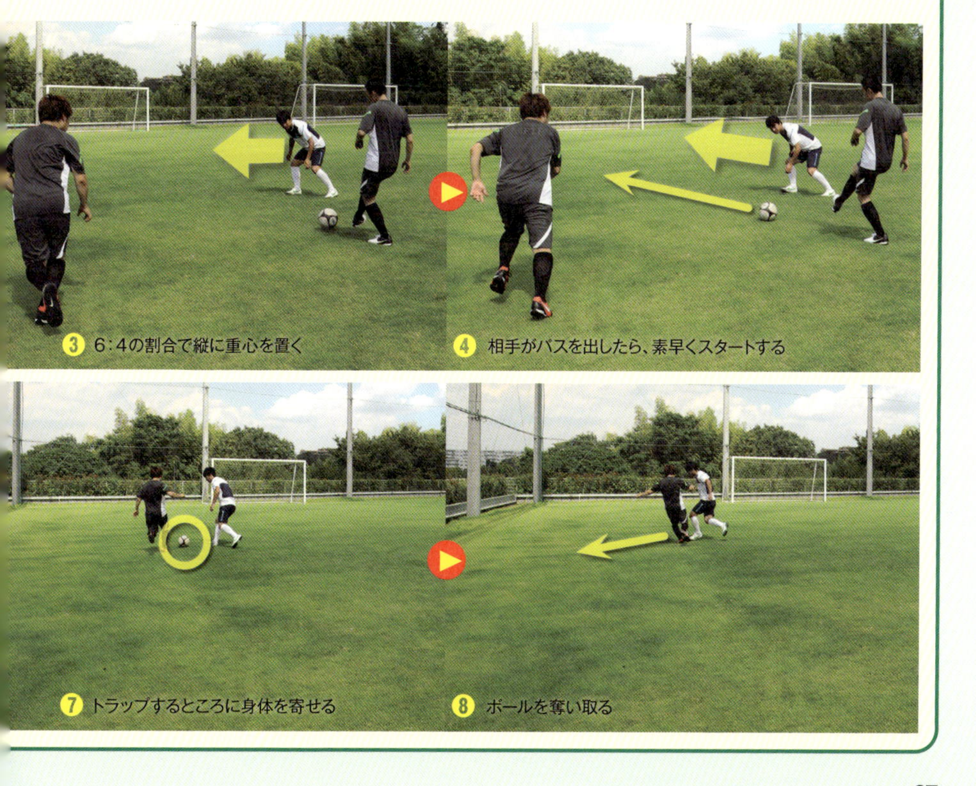

③ 6:4の割合で縦に重心を置く

④ 相手がパスを出したら、素早くスタートする

⑦ トラップするところに身体を寄せる

⑧ ボールを奪い取る

PART3 サイドバックのコツ ■ 数的同数での守り方

カバーリングの味方と協力してボールを奪う

センターバックと役割分担をする

センターバックが中央にいるシチュエーションでは、オーバーラップしてきた選手のマークをサイドバックが受け持ち、ボールを持った選手が中に入ってきたらセンターバックが行くという役割分担を行ってディフェンスしよう。

POINT

❶わざと中に行かせてボールを奪う
❷真横ではなく斜めにポジションをとる

POINT 1 わざと中に行かせてボールを奪う

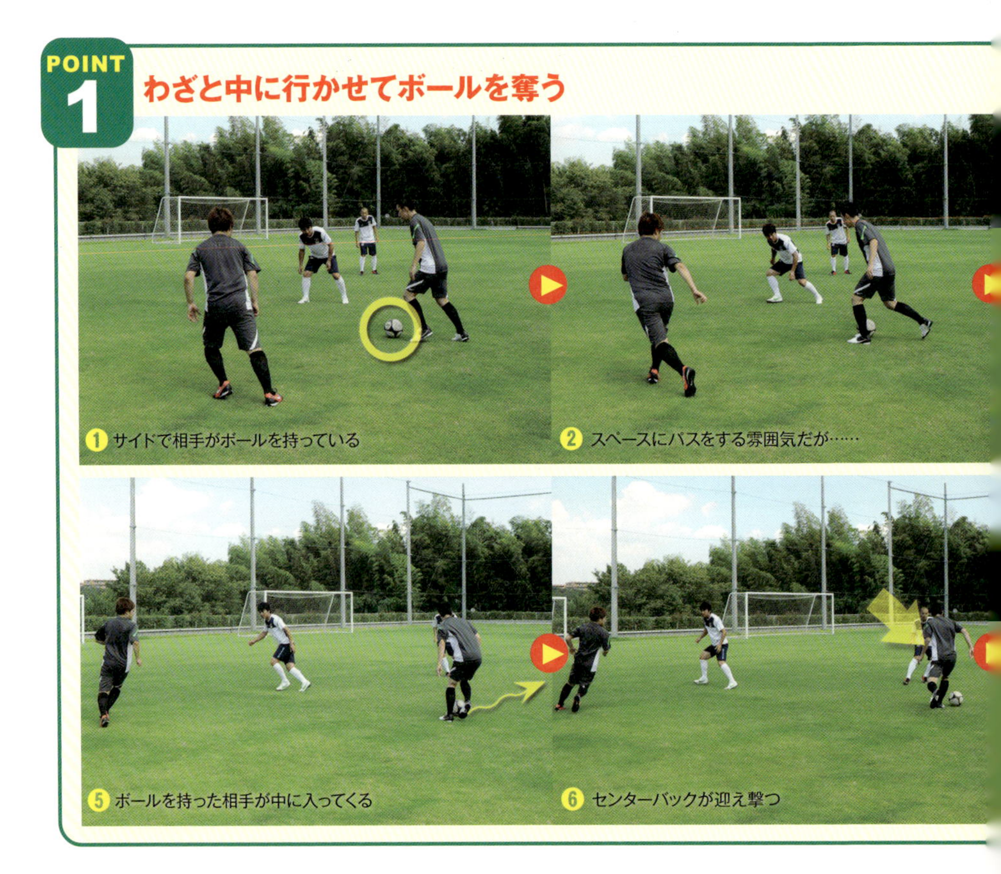

❶ サイドで相手がボールを持っている

❷ スペースにパスをする雰囲気だが……

❺ ボールを持った相手が中に入ってくる

❻ センターバックが迎え撃つ

POINT 2 真横ではなく斜めにポジションをとる

ボールに寄せる選手とカバーリングの選手は、同じ高さに並ぶのではなく、カバーリングの選手が下がって斜めにするのがセオリー。２人が同じ高さにいると、ドリブルで間を抜かれる危険性がある。

できないときはココ

2対2の守り方を話し合って、マークの付き方や、カバーの選手が飛び出すタイミングを確認しておこう。

チェックしよう!

- □SBとCBが斜めの関係になっているか
- □2人同時にボールホルダーに寄せていないか
- □CBが素早くカバーリングできているか

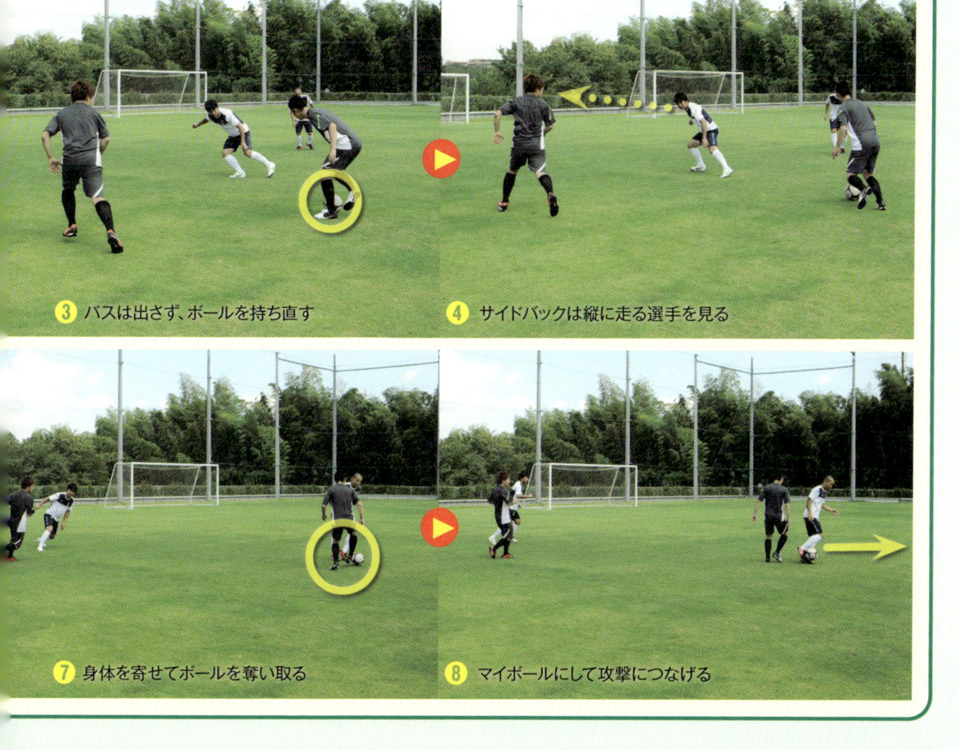

3 パスは出さず、ボールを持ち直す

4 サイドバックは縦に走る選手を見る

7 身体を寄せてボールを奪い取る

8 マイボールにして攻撃につなげる

コツ
42

相手が見ていないときが攻め上がるタイミング

POINT
❶逆サイドにボールがあるときに攻め上がる
❷DFラインの裏のスペースに飛び出す
どのタイミングで上がるべきか?
SB
パス
ドリブル
人の動き

攻め上がりのタイミングをつかむ

サイドバックの攻め上がりは、攻撃の重要なオプションとなる。ただし、闇雲に攻め上がってもパスは出てこないし、ディフェンスに穴を空けることになってしまう。攻め上がるタイミングをつかめれば、味方からのパスを引き出しやすくなる。

サイドバックが攻め上がるタイミングは、逆サイドで味方がボールを持っていて、相手の警戒がそこに集中していて、こちらを見ていないとき。あらかじめ高い位置をとっておけば、スタート時点で有利に立つことができる。

POINT 1 逆サイドにボールがあるときに攻め上がる

自分が左サイドバックだとしたら、右サイドでボールを回しているときが上がるチャンス。右サイドにボールがあるときは、相手が中に絞っていて、左サイドへの警戒心も低いので、上がっていっても気づかれづらい。ただし、味方がパスミスをしたり、ボールを奪われたりしたときに、素早く自陣に戻れるように状況を見ておかないと、裏を取られる要因になってしまう。

POINT 2 DFラインの裏のスペースに飛び出す

スタート時点で高い位置をとって、DFラインの背後のスペースに飛び出してボールをもらう。これはバルセロナのジョルディ・アルバがよくやるプレー。通常、DFは1列目（FW）、2列目（MF）の飛び出しまではケアしているが、サイドバックがここまで上がってくるのは予測していない。ゴール前のマークが混乱するので、決定的なチャンスにつながりやすい。

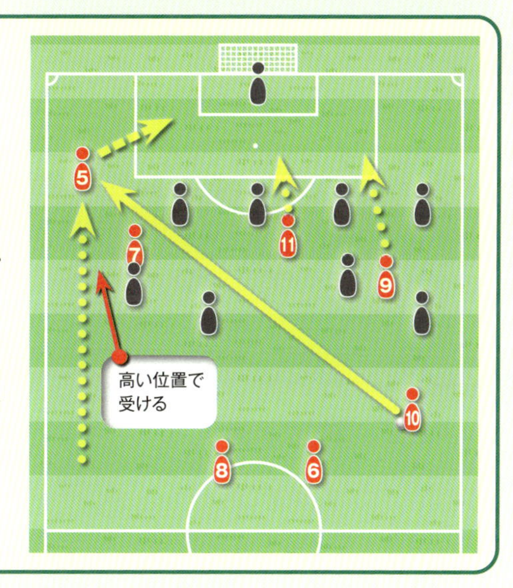

できないときはココ

攻め上がっても味方に気づかれなければ意味がない。フリーのときは声を出してパスを引き出そう。

チェックしよう!

- □逆サイドにボールがあるときに上がっているか
- □声を出してパスを呼び込んでいるか

SBが上がることで プレーの選択肢を増やす

味方の選手を助ける「ムダ走り」も必要

オーバーラップはパスを受けられることもあるが、パスが出てこない、いわゆる「ムダ走り」になることもある。とはいえ、上がることで相手のマークを迷わせ、ボールを持っている選手の突破を助けているので、決してムダなわけではない。

POINT

1. オーバーラップを活用して突破する
2. 状況を見て上がることで相手を迷わせる

POINT 1 オーバーラップを活用して突破する

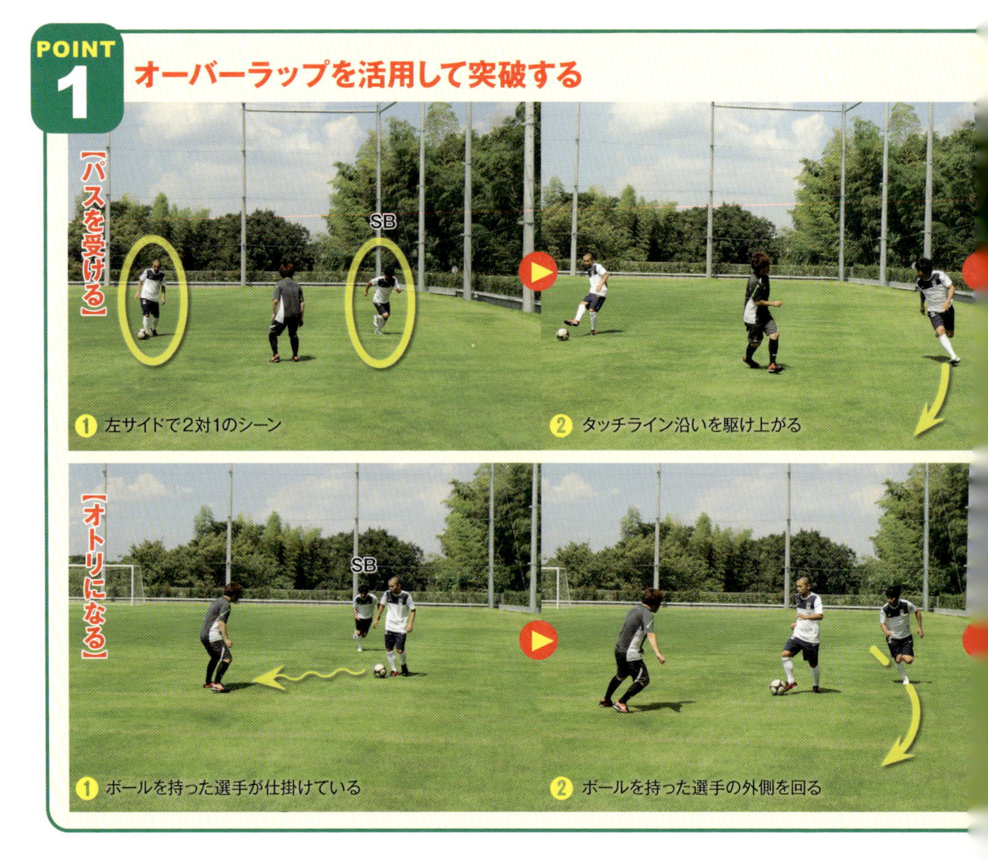

【パスを受ける】
1 左サイドで2対1のシーン
2 タッチライン沿いを駆け上がる

【オトリになる】
1 ボールを持った選手が仕掛けている
2 ボールを持った選手の外側を回る

POINT 2 状況を見て上がることで相手を迷わせる

オーバーラップをすることで、相手にボールを持った選手を見るのか、上がってきた選手についていくのかという迷いを生じさせる。相手の状況を見て、サイドバックへのパス、もしくはドリブル突破を選ぶ。

できないときはココ

パスが出てこないときは、ボールを持っている選手に上がる前に「上がる!」「回る!」などアピールする。

チェックしよう!

- □相手の背後のスペースを狙っているか
- □ムダ走りでボールホルダーを助けているか

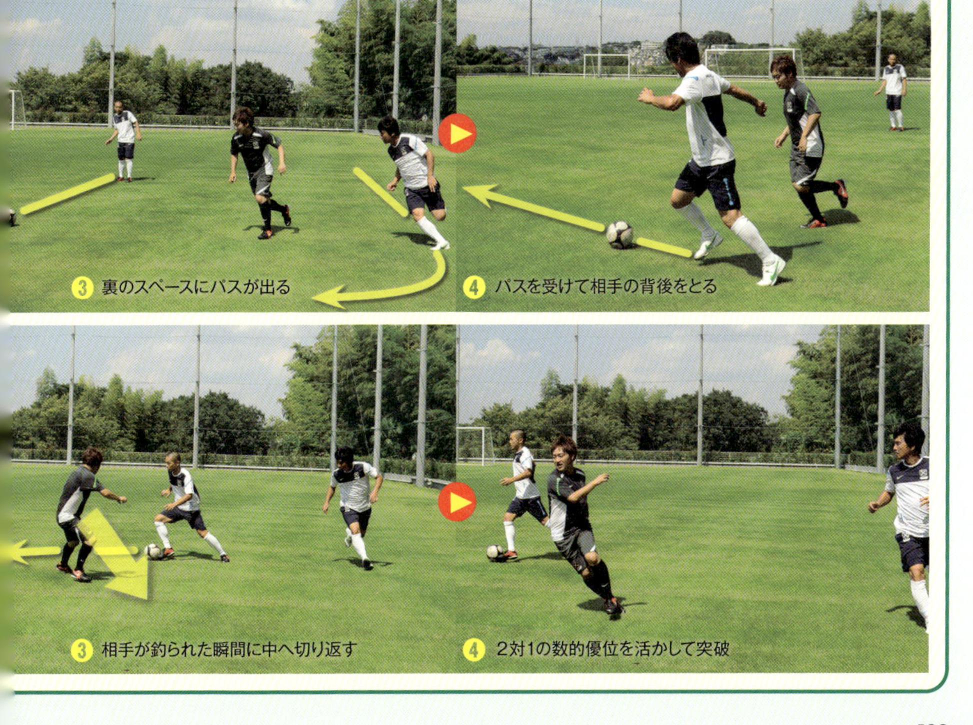

③ 裏のスペースにパスが出る

④ パスを受けて相手の背後をとる

③ 相手が釣られた瞬間に中へ切り返す

④ 2対1の数的優位を活かして突破

深い位置までえぐれば得点のチャンスが広がる

POINT

❶中の選手が駆け引きしやすい
❷相手の状態をボールウォッチャーにする
❸GKの裏をかいてシュートを狙う

相手をボールウォッチャーにする

クロスの中でもゴールライン際までえぐってからマイナスに折り返すクロスは得点につながりやすい。サイドの高い位置でボールを持つと、相手ＤＦは身体と視線をボールホルダーに向けなければならないため、自分のマークを見失いやすい。いわゆる「ボールウォッチャー」になる。

サイドバックは、ドリブルをしながらゴール前の様子を見て、中の選手がフリーになったところを狙ってクロスを入れる。通常のクロスよりも確実性が高いので、積極的に狙っていこう。

POINT 1 中の選手が駆け引きしやすい

マイナスのクロスのメリットの一つは、ボールのある位置よりも後ろにパスを出すのでオフサイドがないこと。中の選手はオフサイドを気にせずに相手ＤＦと駆け引きができる。

POINT 2 相手の状態をボールウォッチャーにする

サイドの深い位置までボールを運ばれると、相手ＤＦやＧＫは身体をボールのほうに向けなければならない。その間に中の選手は動き直してマークを外せれば、フリーでシュートを打てる。

POINT 3 GKの裏をかいてシュートを狙う

ペナルティエリアの中まで入ったときは、クロスだけでなくシュートの可能性も持っておきたい。ＧＫがクロスを先読みして動いたら、ニアのコースを狙ってシュートを打ってみよう。

できないときは

ドリブルで突破するのが難しければ、スルーパスをできるだけ深い位置で受けられるようにしよう。

チェックしよう!

- □サイドの深い位置までボールを運べているか
- □GKの動きを最後まで見ているか

コツ
45

質の高いクロスを味方に合わせる

POINT
❶中を見るのはクロスを蹴る「前」
❷インパクトと振り抜く方向で球種を変える
❸腰のひねりでボールを飛ばす

同じフォームからクロスの種類を蹴り分ける

サイドバックにとってクロスの精度は必須項目といっていい。せっかく良い形でボールを受けても、仕上げとなるクロスの質が低ければ、チャンスが水の泡となってしまう。プロの試合でも「あぁ……」というため息が漏れる場面はよくある。

クロスの精度を上げるには、自分なりのフォームを見つけることが大事になる。正確なクロスを持っている選手は、ほとんどが同じフォームから、インパクトや足の抜き方を変えて、何種類ものボールを蹴り分けている。

POINT 1

中を見るのは クロスを蹴る「前」

ボールを縦に軽く持ち出し、キック体勢に入る前に、中に何人ぐらい入っているか、どこにスペースがあるのかを確認する。蹴る瞬間はボールをしっかり見て、インパクトに集中する。

POINT 2

インパクトと振り抜く 方向で球種を変える

ボールに当てる場所と、足を抜く方向でクロスの種類は変わる。カーブのときはインフロントで内側にこすり上げるように、スライスにしたいときはアウトで外側に切るイメージで。

POINT 3

腰のひねりで ボールを飛ばす

クロスを上げるときは上半身と下半身をねじるような状態になる。腰のひねりを利かせることによって、ボールに身体全体のパワーが乗っかるので、スピードのあるクロスが蹴れる。

できないときは ココ

味方の動きに合わせるのではなく、あらかじめ蹴る場所を決めておいたほうがキックに集中できる。

チェックしよう!

□ボールを蹴る前に中の様子を確認しているか

□中の状況に合わせてボールを蹴り分けているか

選択肢はDFとGKの間かDFの上を通す2パターン

どんなボールかイメージを描いておく

クロスの選択肢としては、相手ＤＦとＧＫの間を通すグラウンダー、ＤＦの頭の上を超える浮き球の２つが基本になる。何となく蹴るのではなく、クロスを上げる時点で、どこに、どんなボールを蹴るかというイメージを頭の中で描いておきたい。

POINT

❶２種類の狙いどころに蹴り分ける
❷蹴るときはボールに集中する

POINT 1 ２種類の狙いどころに蹴り分ける

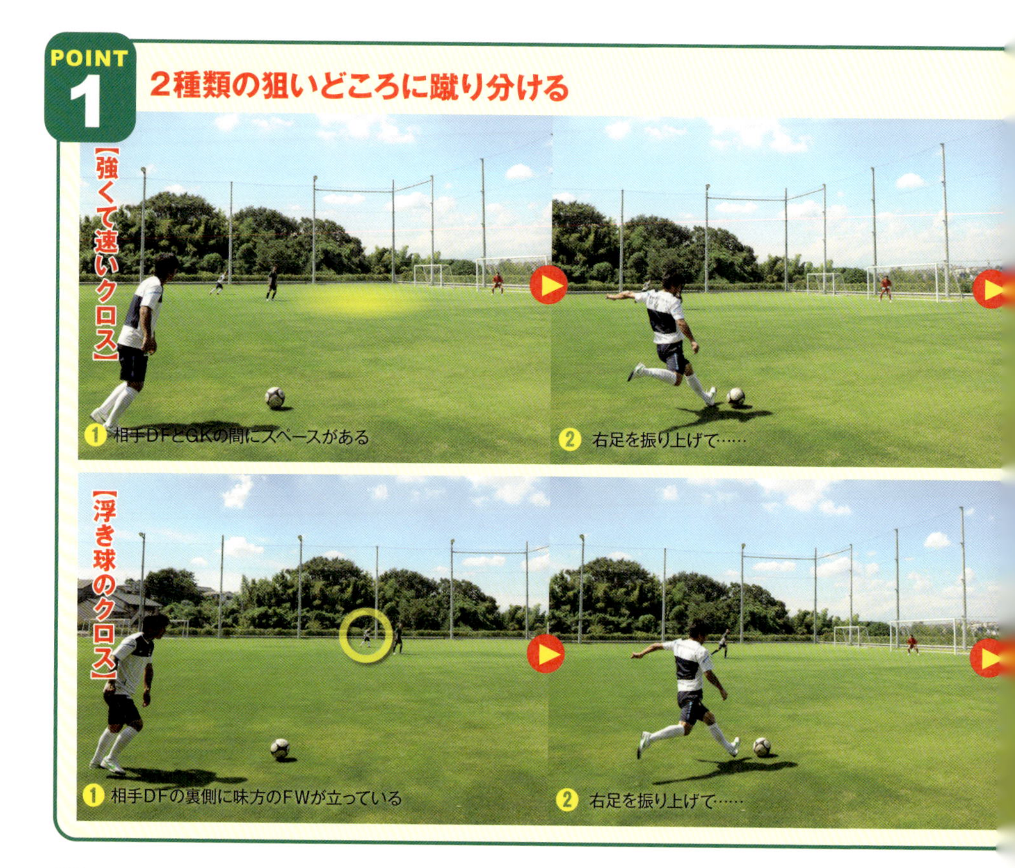

【強くて速いクロス】

① 相手DFとGKの間にスペースがある

② 右足を振り上げて……

【浮き球のクロス】

① 相手DFの裏側に味方のFWが立っている

② 右足を振り上げて……

POINT 2

蹴るときはボールに集中する

クロスを蹴る瞬間は味方ではなく、ボールをよく見ること。ショートパスであればノールックでも出せるが、クロスは距離が長いため、インパクトのわずかなズレが、大きなミスにつながってしまう。

できないときはココ

コースを決めてからクロスを蹴るまでのスピードを落とすと、普段通りのキックができやすい。

チェックしよう!

□蹴る前の段階で頭の中にイメージを持っているか

□蹴りたい場所に合わせてインパクトを変えているか

③ 右足のインフロントでボールを引っ張るようにインパクト

④ 強くて速いボールをスペースに入れる

③ 右足のインフロントでボールをこするようにインパクト

④ カーブをかけて浮き球のクロスを入れる

コツ
47

ドリブルで前方へ持ち出してDFラインを押し上げる

POINT
❶サイドバックが開いてボールを引き出す
❷前方にスペースがあればボールを持ち出す
相手がプレッシャーをかけてくる
5
4
3
2
1
パス
ドリブル
人の動き

SBはフリーになりやすいポジション

サイドバックはビルドアップでも重要な役割を担っている。

相手が高い位置からプレスをかけてきて、マークされていても、中央のセンターバックに比べてサイドバックは比較的フリーでボールをもらいやすい。

ボールを持ったとき、味方の選手にマークがついていてパスの出しどころがなければ、勇気を持って前方にドリブルしよう。サイドバックがボールを前に運ぶことで、チーム全体がラインを押し上げてプレーできる。

POINT 1 サイドバックが開いてボールを引き出す

相手が前線からプレスをかけてきたときは、ビルドアップの起点となる中央のセンターバックやボランチにマークが付くので、パスの出しどころがなくなる。そうなったときは、サイドバックがタッチライン沿いまで開いてボールを引き出そう。完全マンツーマンのオールコートプレスなどの場合を除いて、サイドバックは他のポジションに比べてフリーで受けられる。

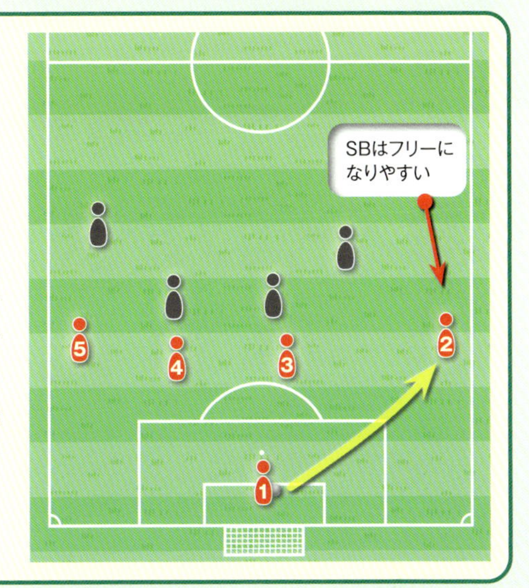

SBはフリーに
なりやすい

POINT 2 前方にスペースがあればボールを持ち出す

サイドの低い位置で受けた時、前方にスペースがあればドリブルでボールを持ち出す。サイドバックがドリブルで運んでいけば、相手は下がらざるを得ないので、チーム全体がラインを押し上げられる。サイドバックが簡単にボールを下げてしまうと、ＤＦラインでボールを回す時間が長くなってしまい、停滞の要因となる。技術に自信がなくても勇気を持ってプレーしよう。

スペースが空き
ドリブルで進む

できないときはココ

ボールを受ける前に周囲の状況を確認して、余裕を持ってパスをもらえるスペースを確保しよう。

チェックしよう!

- □タッチライン沿いに開いてパスを呼び込んでいるか
- □ボールを持った後にスペースに運んでいるか

ファーストタッチでプレーの9割が決まる

POINT

1. ファーストタッチでボールを前に運ぶ
2. ボールを足下に止めると相手に狙われる
3. 顔を上げて相手を寄せ付けない

ボールをどこに置くかを常に考える

サイドバックのプレーは「ファーストタッチで9割決まる」といっても過言ではない。サイドバックはフリーでボールを受けやすいポジションではあるが、ファーストタッチでどこにボールを置くかによって、その後のプレーの選択肢は大きく変わってしまう。

ファーストタッチでボールを前方に運べれば、スムーズに前を向いた状態でプレーできる。逆に、足下にピッタリと止めると、相手にプレッシャーをかけられて詰まってしまう。

POINT 1 ファーストタッチでボールを前に運ぶ

ワンタッチで前方のスペースにコントロールし、相手のプレスをかわして前に運んでいく。ポイントは、ボールがくるまでは足下に止める雰囲気を出して、相手を食いつかせること。

POINT 2 ボールを足下に止めると相手に狙われる

トラップでパスを足下で止めてしまうと、プレスをかけてくる相手につかまりやすい。サイドの低い位置でボールを失うと危ないので、シンプルに後ろに下げるか、前に蹴り出そう。

POINT 3 顔を上げて相手を寄せ付けない

トラップでボールを止めたときは、できるだけ顔を上げよう。顔を上げるだけで、相手に「余裕を持っている」というハッタリを感じさせられるので、それほど強くは寄せてこない。

できないときは

身体の角度をボールに向けず、自分が行きたいスペースに向けておくと、スムーズにトラップできる。

チェックしよう!

□ファーストタッチを意識しているか
□前方のスペースに素早く運んでいるか
□顔を上げてパスコースを見ているか

前線への正確なフィードで攻撃の起点を作る

味方が受けやすいボールを出す

タッチライン沿いでボールを持ったサイドバックから、縦方向のフィードをＦＷがサイドに流れて受けるのは、高い位置で攻撃の起点を作るための有効なプレーの一つ。ＦＷの動きに合わせてコントロールしやすいボールを出してあげよう。

POINT

❶FWの動きに合わせてフィードを送る
❷ＦＷの動き出しを確認する

POINT 1 FWの動きに合わせてフィードを送る

【出し手のプレー】
① 前線でFWが動き出しているのを確認
② 相手が寄せてくる前にキック体勢へ

【受け手のプレー】
① FWが中央からサイドに流れていく
② 背後にマークが付いている

POINT 2

FWの動き出しを確認する

ボールをワンステップで蹴れる場所に置いてから、顔を上げて味方のＦＷの動き出しを確認する。ＦＷがサイドに流れてきたら足下に、裏に抜けたらスペースにという具合に、ＦＷの位置によってプレーを変える。

できないときは ココ

ボールをトラップする前から顔を上げて、ＦＷがどこにいるかをあらかじめインプットしておく。

チェックしよう!

- □縦方向にパスを出すイメージを持っているか
- □蹴る前にＦＷの動き出しを確認しているか

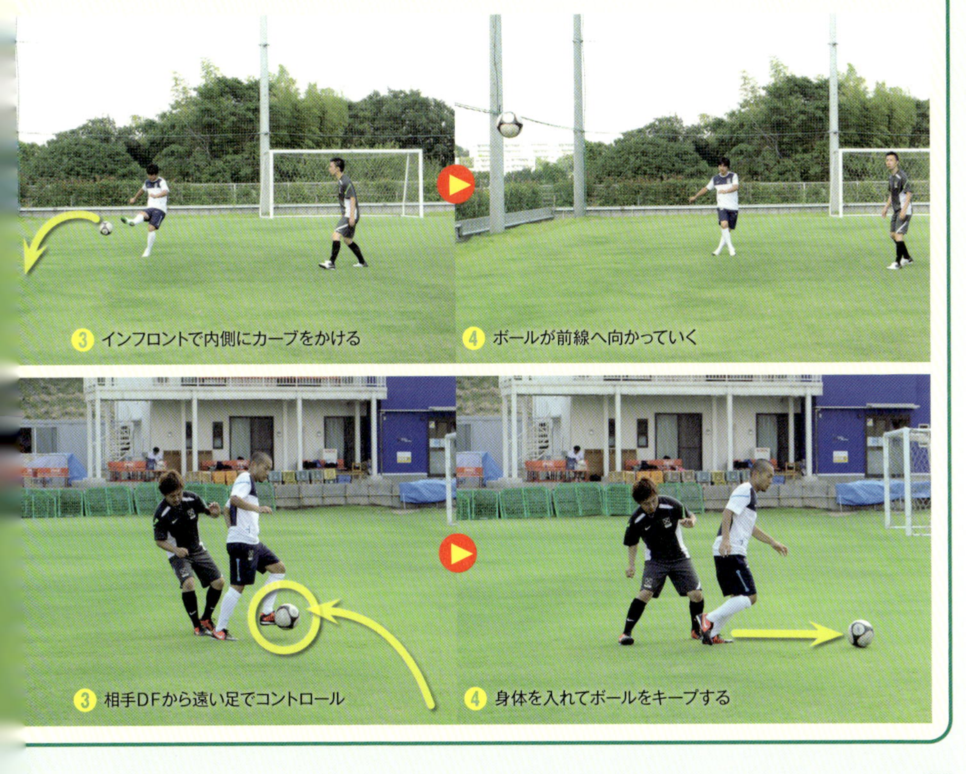

③ インフロントで内側にカーブをかける

④ ボールが前線へ向かっていく

③ 相手DFから遠い足でコントロール

④ 身体を入れてボールをキープする

強くて速い正確なパスを味方にピタリとつける

POINT

❶パスコースに相手がいたら無理をしない
❷相手から遠いほうの味方の足にパスを出す
❸パスを出した後は必ずサポートする

パス出し後は次のアクションを起こす

サイドバックの技術レベルが上がったことで、FWやトップ下の選手へクサビのパスをつけられる選手も増えている。クサビのパスは受け手がマークを背負ったところへ出すことが多いため、精度の高さが要求される。受け手の選手の利き足や、得意なターン方向なども考えて出そう。

また、パスを出した後は出しっぱなしにするのではなく、パスを出すと同時に攻め上がってリターンを受けるなど、次のアクションを起こし、受け手を孤立させないようにしよう。

POINT 1 パスコースに相手がいたら無理をしない

パスコースに相手がいるときは、浮き球で通す選択肢もあるが、不安がある場合は出さないほうがいい。通ったときのことだけでなく、通らなかったときのリスクも考えてプレーしよう。

POINT 2 相手から遠いほうの味方の足にパスを出す

このように相手が右方向からマークされている場合は、相手から遠いほう、左足にボールをつける。右足に出すと、相手から近いのでインターセプトされる危険性が高くなってしまう。

POINT 3 パスを出した後は必ずサポートする

パスを出しただけでプレーを終わらせず、周りに味方がいなければ、自分で上がっていってパスコースを作り出す。ＦＷからのリターンパスをもらって、サイドを一気にぶち抜いてみよう。

できないときは

通常のパス練習のときから「どっちの足に出したほうがいいのか」を考えながらプレーしてみよう。

チェックしよう!

- □受け手がもらいやすいところに出しているか
- □パスを出した後に動いているか

システムの特性

サッカーはポジションの配置によって戦い方やサッカーのスタイルが変わる。ディフェンダーを３人にするのか４人にするのか、フォワードの選手を何人配置するか。ここでは布陣から見るシステムの特性を解説しよう。

４バックシステム

4-3-3

ディフェンダーを４人、中盤に３人、フォワードを３人配置したシステム。攻守のバランスがよく、ポゼッションサッカーに向いているスタイルだ。

中盤が逆三角形の布陣

中盤に２人の攻撃的ミッドフィルダーと１人の守備的ミッドフィルダー（アンカー）を置くシステム。前線に人数をかけてプレッシングを仕掛けるのに適している

中盤が三角形の布陣

中盤に２人の守備的ミッドフィルダーを配置する守備を重視したシステム。中盤とディフェンスラインの間でブロックを作りスペースを埋めるのに適している

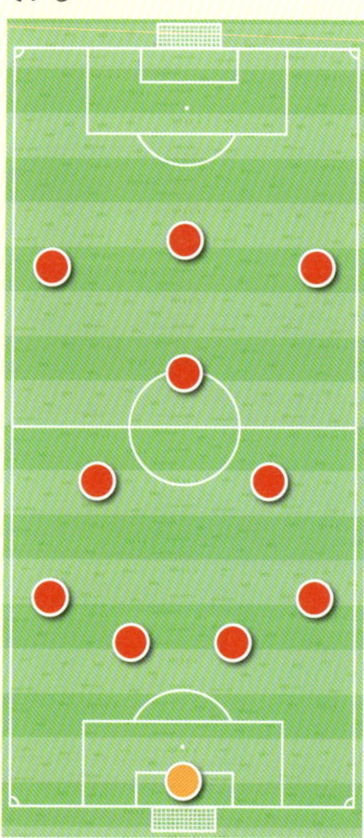

4-2-3-1

４バックで中盤の構成がボランチ２人でサイドハーフが２人、トップ下を置きワントップの布陣。サイド攻撃を重視し、両サイドに人数をかけて攻撃を仕掛ける。サイドバックの攻撃参加も求められる戦術だ。

4-4-2

フォワードを２トップにしたい場合のシステム。２人のフォワードの組み合わせによって攻撃に変化を生み出せる。中盤の選手の配置によってサッカーのスタイルが変わる。

中盤がダイアモンド型の布陣

中盤をトップ下とボランチ、両サイドハーフで組んだ布陣。トップ下に高い能力を持った選手がいる場合に効果的だが、ボランチが１人のためセンターバックとの間にスペースが生まれやすいという弱点もある

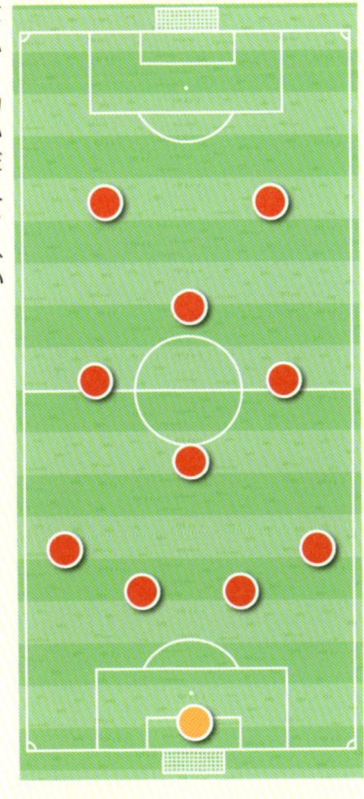

中盤がボックス型の布陣

中盤をダブルボランチにして守備力を高めるだけでなく、中央の構成力を上げたいときに使用する。サイド攻撃をするときはサイドバックのオーバーラップは不可欠である

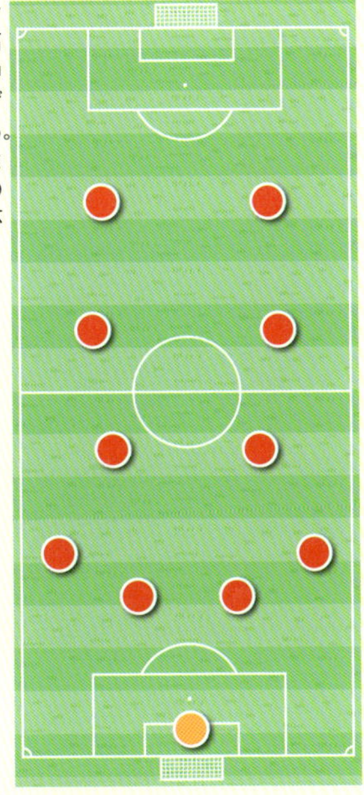

中盤がフラット型の布陣

中盤の４人を横一列に配列した布陣。ピッチに均等に選手を配置しているのでバランスがよい。ゾーンプレスなどの守備戦術をしやすいシステムと言える

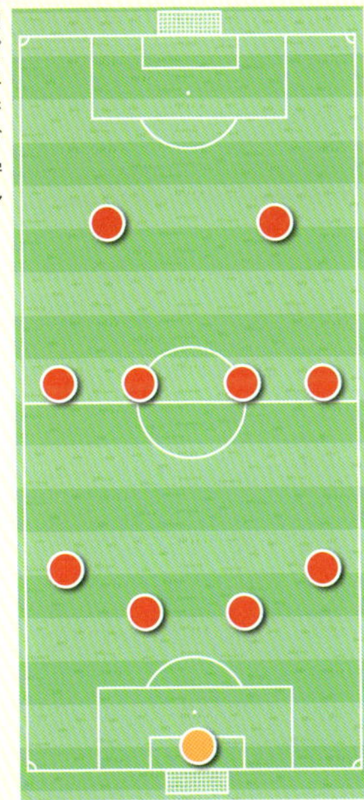

トリプルボランチにした布陣

中盤に３人のボランチを配置したより守備を重視した布陣。相手チームが高い攻撃力を誇るときにブロックを作って守り、カウンターで攻撃を仕掛けることが一般的だ

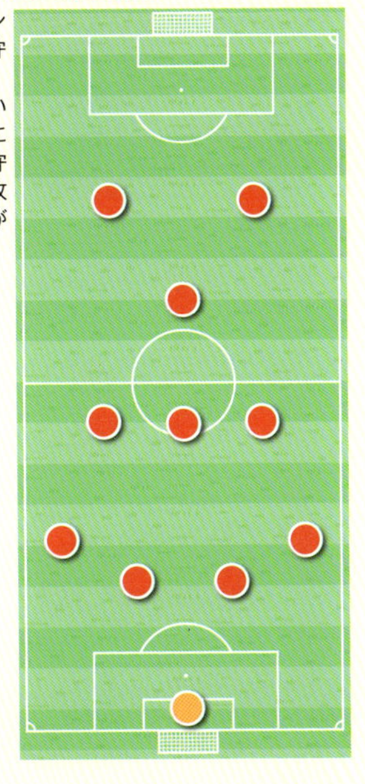

3バックシステム

3-5-2

センターバックを3人並べた3バックの中でもベースとなる布陣。フォワードを2人配置し中盤を5人。その中の2人はウイングバックとしてサイドを攻守に上下動する。ウイングバックの位置取りで守備的になる5バックになるか、攻撃的でウイングのようになるかが決まる。3バックはフラットに並ぶか、ストッパー2人と中央のスイーパーの置く2パターンがベースだ。

ダブルボランチにした布陣

中盤の構成でボランチを2人配置した布陣。サイドが上がった後のカバーリングをボランチが担うことができるので、とてもバランスに優れたシステムだ

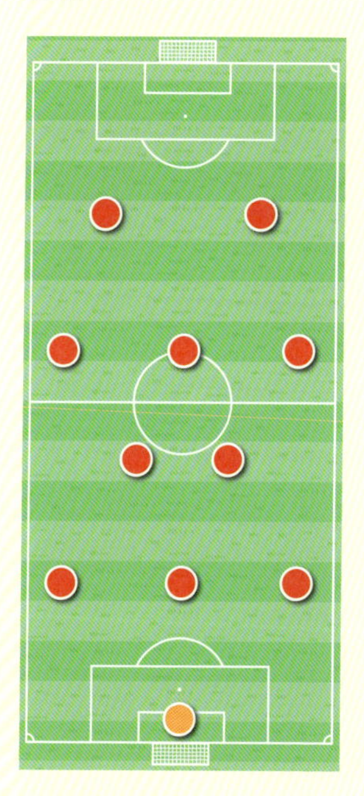

ワンボランチにした布陣

中盤の構成でボランチを1人、トップ下を2人配置した攻撃的な布陣。トップ下の2人が攻撃の中心となり厚みのある攻めが可能。ただしボランチの役割が多岐に渡るため高い能力が求められる

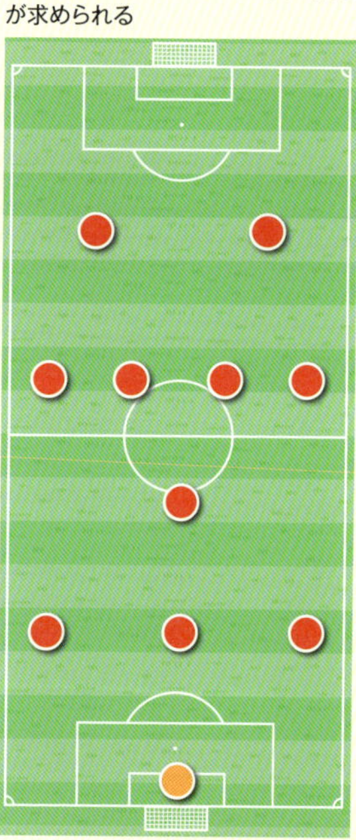

トリプルボランチにした布陣

中盤の構成でボランチを3人配置し、両サイドに2人置いた守備的な布陣。試合開始から採用されることはほぼなく、試合終盤で勝っている状況で逃げ切りたいときに使用する戦術だ

3-4-3

3人のディフェンダー、4人の中盤、3トップで構成した布陣。サイドのウイングとなるフォワードと、中盤のウイングバックのサイドアタックが戦術の決め手となる。センターバックのサイドの2人とウイングバックのポジショニング次第で攻撃的、守備的が決まる。

中盤がダイアモンド型の布陣

中盤の構成でボランチ1人とトップ下を配置した布陣。とても攻撃的なシステムでバルサが使用することで有名。ポジションバランスがよいのでポゼッションを高めるのに適した布陣だ

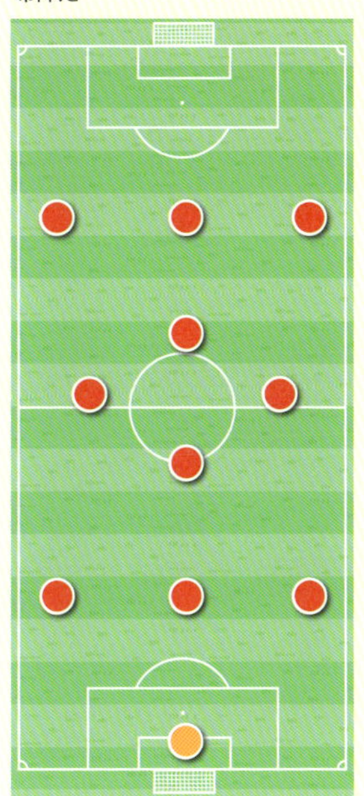

中盤がフラット型の布陣

中盤をフラットに並べた布陣。ボランチを2人にすることで攻守のバランスを重視している。攻撃的かどうかは両サイドハーフの位置取り次第でもある

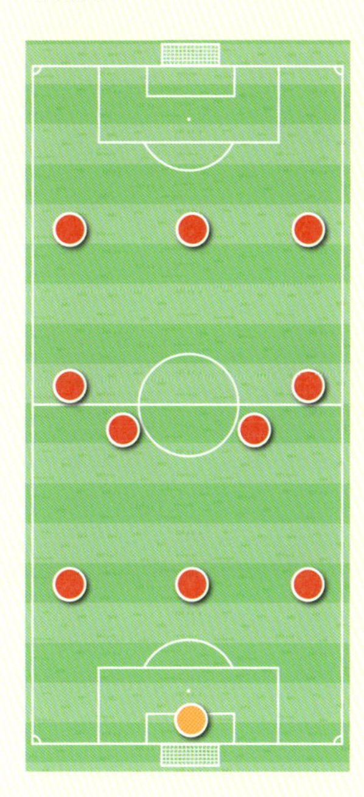

3-6-1

3－5－2の布陣からフォワードを1人にしてトップ下を2人に増やし中盤に厚みを持たせたシステム。トップ下やサイドの選手が前線に飛び出していく推進力を生かしたダイナミックな攻撃戦術が魅力的。中盤に高い能力を持つ選手が多いと有効な布陣だ。

ポイントのまとめ

すべてのコツとポイントをまとめて一覧にしました。
参考にしていただき、練習や試合前の確認として活用してください。

PART1　ディフェンダー技術のコツ

コツ01 …… p14
マークの付き方
ゾーンかマンツーマンでマークの付き方が変わる
POINT
①マンツーマンは人に付いていく守り方
②ゾーンは自分の担当するゾーンを守る

コツ02 …… p16
ポジショニングのセオリー
裏を取られないように距離感を保ちながら守る
POINT
①ボールとゴールを結んだ線上に立つ
②ボールとマークを同一視野に収める
③くっつき過ぎると裏を取られやすい

コツ03 …… p18
インターセプトの狙い方
パスが出る瞬間を狙って相手が触る前にカットする
POINT
①前に入れるポジションをとる
②相手がボールを見た瞬間に前に出る
③マイボールにして攻撃につなげる

コツ04 …… p20
トラップ際でボールを奪う
相手が無防備になるタイミングを突く
POINT
①ボールが動いている間に距離を詰める
②距離感は1・5mぐらい

コツ05 …… p22
ボールが入ったときの対処法
背後からプレッシャーを与えて振り向かせない
POINT
①手を当てて触れられる距離を保つ
②密着するとターンされやすい
③手と足で追い込みをかける

コツ06 …… p24
1対1での構え方
ワンサイドカットで狭いほうへ追い込んで奪う
POINT
①腰を低く落とし準備状態にする
②ワンサイドカットで方向を限定させる
③ボールを持っている足の前に立つ

コツ07 …… p26
身体を入れてボールを奪う
ボールが足から離れた瞬間に身体を割り込ませる
POINT
①ドリブルで仕掛けさせて奪う
②ボールを奪ったら守備から攻撃につなげる

コツ08 …… p28
相手の動きを読む
身体の動きで相手の狙いを先読みしてプレーを止める
POINT
①コントロールは利き足か逆足かを見極める
②ボールを見た瞬間が突破のタイミング
③肩の動きを見れば突破の方向がわかる

コツ09 …… p30
背後を取られたときの対処法
真後ろから追いかけず斜め後ろから追いかける
POINT
①背後へのスルーパスは回り込んで追う
②相手FWと駆け引きをする

コツ10 …… p32
チャレンジ&カバー
1人がチャレンジしたらもう1人がカバーする
POINT
①1人目がかわされても2人目が寄せる
②1人目が抜かれたら2人目が時間を稼ぐ

コツ11 …… p34
スライディングの使いどころ
スライディングは最終手段。必要な場面だけで使う
POINT
①不利な状況でも先に触りたいときに有効
②ドリブルで突破されそうなときにクリアとして使う
③ゴール前でシュートを打たれそうなときに使う

コツ12 …… p36
ドリブルへのスライディング
スピード勝負に持ち込ませない
POINT
①相手がスピードに乗る前にスライディングでクリア
②ボールを絡め取って攻撃につなげる

コツ13 …… p38
近距離でのスライディング
横にドリブルしてきたときは近いほうの足を伸ばす
POINT
①ペナルティエリア付近でのスライディング
②かわされた後はリカバーを素早く

コツ14 ………… p40
シュートブロックのスライディング
相手のシュートコースに自分の身体を置くイメージ
POINT ①身体を使ってシュートブロック
②シューターの利き足の前に立つ

コツ15 ………… p42
クロスブロックのスライディング
サイドからクロスを上げさせないスライディング
POINT ①クロスをブロック
②ボールを止めに行くと上げられてしまう

コツ16 ………… p44
DFラインの基本設定
「どこから守るか」をチームとして決めておく
POINT ①DFラインを高く押し上げる
②DFラインを低めに設定する

コツ17 ………… p46
DFラインを押し上げるタイミング
ボールを持った選手の状態でラインを細かく上下させる
POINT ①プレッシャーがかかっていればDFラインを上げる
②ボールホルダーがフリーならDFラインを下げる

コツ18 ………… p48
オフサイドの取り方
パスが出てくる瞬間にオフサイドポジションに置く
POINT ①ボールとマークを同一視野に入れる
②ボールが出る瞬間に一歩前に出る
③「オフサイド！」というセルフジャッジはしない

コツ19 ………… p50
オフサイドを使った駆け引き
DFラインを高く保って裏の飛び出しを抑える
POINT ①DFラインで連動してオフサイドにする
②FWを自陣ゴールに向かわせる

コツ20 ………… p52
味方を動かすコーチング
自分が動かなくてもボールは奪える
POINT ①的確なコーチングでクサビのパスをカットする
②周りをうまく使える選手が守りが上手な選手

PART2　センターバックのコツ

コツ21 ………… p56
役割と考え方
現代サッカーではCBにもあらゆる要素が求められる
POINT ①相手のFWをマークし仕事をさせない
②競り合いながら空中戦で跳ね返す
③ビルドアップの起点となる

コツ22 ………… p58
マークの付き方
相手とつかず離れずの距離感を保ってマークする
POINT ①手で軽く触って距離感を保つ
②ユニフォームをつかむとファウルになる
③身体でホールドしてしまうのもファウルに

コツ23 ………… p60
ターン型のFWの止め方
自分の行かせたいほうへ誘導してボールを奪う
POINT ①ターンしたところを狙う
②ファウルギリギリの“裏技”

コツ24 ………… p62
ポスト型のFWの止め方
バックパスを出させれば“勝ち”だと割り切る
POINT ①相手を押し戻しバックパスを出させる
②距離を空けて相手に背負わせない

コツ25 ………… p64
スピード型のFWの止め方
相手がスピードに乗る前にコースを塞いで止める
POINT ①スピードに乗る前にボールを奪う
②身体をぶつけるのはファウルになりやすい

コツ26 ………… p66
パサーとの駆け引き
敢えてパスコースを空けて出したところを狙う
POINT ①顔が上がっているときは動かない
②顔を下げた瞬間に前に出る
③インターセプトの雰囲気を出さない

コツ27 ………… p68
ヘディングのポジショニング
落下地点の少し後ろから勢いをつけて走り込む
POINT ①FWよりも数歩下がる
②斜め後ろからボールを見る
③真下に入るとバランスを崩しやすい

コツ28 ……… p70
ヘディングのパターン
跳ね返すヘディングと近くに落とすヘディング
POINT ①狙いによってヘディングの軌道を変える
②フリーでのヘディングは必ずパスにする

コツ29 ……… p72
ヘディングのインパクト
正しい位置でとらえてしっかりボールを飛ばす
POINT ①用途によって上下左右に打ち分ける
②最後までボールから目を離さない
③首のスナップを利かせる

コツ30 ……… p74
背の高い相手に競り勝つ方法
相手のジャンプを利用して飛び競り勝つ
POINT ①相手の肩に乗りながら飛ぶ
②あからさまに乗っかるとファウルに

コツ31 ……… p76
シュートコースを限定する
GKと連携してシュートを止める
POINT ①ゴールとボールを結んだライン上に立つ
②GKのブラインドにならないように
③足下のコースをブロックする

コツ32 ……… p78
ビルドアップ
CBからのパスが攻撃の1歩目になる
POINT ①ビルドアップのフォーメーション
②空いているコースにパスを出す

コツ33 ……… p80
ビルドアップ時のサポート
バックステップでパスを受けられる角度を作る
POINT ①バックステップでパスを受ける
②足を止めるとプレスの餌食になる

コツ34 ……… p82
至近距離でかわす
相手との距離が近くても慌てずにかわす
POINT ①巧みなコントロールで相手のプレスをかわす
②足下にピッタリとボールを止めない

コツ35 ……… p84
運ぶドリブル
ドリブルで引きつけて味方をフリーにする
POINT ①最終ラインからドリブルで運び相手を引きつける
②突破のドリブルで仕掛ける必要はない

PART3　サイドバックのコツ

コツ36 ……… p88
役割と考え方
攻撃型から守備型までプレースタイルは十人十色
POINT ①スピードが求められるサイドでのディフェンス
②ビルドアップで前線へフィードする
③果敢なオーバーラップで攻撃参加する

コツ37 ……… p90
ポジショニングのセオリー
ボールの位置によって細かくポジションチェンジ
POINT ①同サイドにボールがあれば同一視野を意識する
②中央にボールがあれば中を絞ってケアする
③逆サイドにボールがあれば絞ってゴール前をケア

コツ38 ……… p92
1対1のディフェンス
相手を縦に追い込んでボールを奪う
POINT ①サイドでの1対1の基本姿勢は中切り
②相手に背中を見せるとピンチを招く
③縦に持ち出したら身体を寄せる

コツ39 ……… p94
タイプ別の守り方
相手のタイプを見極めて守り方を変える
POINT ①テクニックがある相手には利き足の前に立ち寄せる
②スピードがある相手には飛び込まず距離を空ける
③カットインする相手には身体を寄せていく

コツ40 ……… p96
数的不利での守り方
数的不利な状況のときはむやみに飛び込まない
POINT ①わざとスペースにパスを出させる
②攻め上がりを利用したカットインをケアする

コツ41 ……… p98
数的同数での守り方
カバーリングの味方と協力してボールを奪う
POINT ①わざと中に行かせてボールを奪う
②真横ではなく斜めにポジションをとる

コツ42 ……… p100
攻め上がりのタイミング
相手が見ていないときが攻め上がるタイミング
POINT ①逆サイドにボールがあるときに攻め上がる
②DFラインの裏のスペースに飛び出す

コツ43 …… p102
オーバーラップのパターン
SBが上がることでプレーの選択肢を増やす
POINT
①オーバーラップを活用して突破する
②状況を見て上がることで相手を迷わせる

コツ44 …… p104
マイナスのクロス
深い位置までえぐれば得点のチャンスが広がる
POINT
①中の選手が駆け引きしやすい
②相手の状態をボールウォッチャーにする
③GKの裏をかいてシュートを狙う

コツ45 …… p106
クロスの蹴り方
質の高いクロスを味方に合わせる
POINT
①中を見るのはクロスを蹴る「前」
②インパクトと振り抜く方向で球種を変える
③腰のひねりでボールを飛ばす

コツ46 …… p108
クロスの狙いどころ
選択肢はDFとGKの間かDFの上を通す2パターン
POINT
①2種類の狙いどころに蹴り分ける
②蹴るときはボールに集中する

コツ47 …… p110
ドリブルの持ち出し
ドリブルで前方へ持ち出してDFラインを押し上げる
POINT
①サイドバックが開いてボールを引き出す
②前方にスペースがあればボールを持ち出す

コツ48 …… p112
ファーストタッチの置き場所
ファーストタッチでプレーの9割が決まる
POINT
①ファーストタッチでボールを前に運ぶ
②ボールを足下に止めると相手に狙われる
③顔を上げて相手を寄せ付けない

コツ49 …… p114
ロングフィード
前線への正確なフィードで攻撃の起点を作る
POINT
①FWの動きに合わせてフィードを送る
②FWの動き出しを確認する

コツ50 …… p116
クサビのパス
強くて速い正確なパスを味方にピタリとつける
POINT
①パスコースに相手がいたら無理をしない
②相手から遠いほうの味方の足にパスを出す
③パスを出した後は必ずサポートする

監修者

中西永輔

(なかにし・えいすけ)
1973年6月23日生まれ。
三重県鈴鹿市出身。
名門四日市中央工業高校サッカー部で全国高校サッカー選手権優勝。卒業後の1992年にジェフユナイテッド市原に入団。様々なポジションをこなせるマルチなプレーヤーだが、主にはサイドバックやセンターバックのポジションで活躍。足が速く1対1の強さが魅力的で、日本代表として1998年フランスW杯に出場した。2004年からは横浜Fマリノスに移籍。2007年に現役引退。引退後は指導者として活躍中。

所属クラブ
1980年-1985年　愛宕サッカー少年団
1986年-1988年　鈴鹿市立白子中学校
1989年-1991年　四日市中央工業高校
1990年　全国高校サッカー選手権出場／高校総体出場
1991年　全国高校サッカー選手権優勝
　　　　(帝京高校と両校同時優勝)／高校総体3位。
1992年-2003年　ジェフユナイテッド市原
2004年-2006年　横浜F・マリノス

個人成績
J1通算309試合出場／34得点

代表歴
国際Aマッチ14試合出場(1997-2002)
1995年アトランタ五輪予選
1998年フランスW杯出場

取材協力

NPO法人　ライフネットスポーツクラブ

神奈川県横浜市でサッカースクール・クリニックを中心に活動する総合型地域スポーツクラブ。サッカー以外にもバドミントンやヨガを実践。今後は野球スクールなども活動予定。天然芝のスポーツパーク(サッカーグラウンド)でスクール、クリニックを開催中。
http://www.lifenet-sc.com/
スクール会員募集中!

ライフネットスポーツクラブ事務局

〒221-0864 神奈川県横浜市菅田町1634-4-302
TEL:045-475-0682

スポーツパーク・クラブハウス

〒221-0864 神奈川県横浜市菅田町2299-1

NFTB
NFTB

サッカー ディフェンダー 上達のコツ50 新装版
鉄壁の技術と戦術を極める

2022年11月30日　第1版・第1刷発行
2024年 7 月15日　第1版・第2刷発行

監修者　中西永輔（なかにし えいすけ）
発行者　株式会社メイツユニバーサルコンテンツ
代表者　大羽孝志
〒102-0093 東京都千代田区平河町一丁目 1-8
印　刷　株式会社厚徳社

◎『メイツ出版』は当社の商標です。

ご意見・ご感想はホームページから承っております。
ウェブサイト　https://www.mates-publishing.co.jp/

企画担当：大羽孝志／千代 寧

※本書は2019年発行の『サッカー ディフェンダー 上達のコツ50 新版』を元に内容の確認を行い、
書名・装丁を変更して新たに発行したものです。